LUIZ FELIPE PONDÉ

LUIZ FELIPE PONDÉ

AMOR PARA CORAJOSOS

Planeta

Copyright © Luiz Felipe Pondé, 2017
Copyright © Editora Planeta do Brasil, 2017
Todos os direitos reservados.

Preparação: Luciana Figueiredo
Revisão: Isabel Jorge Cury e Maria Aiko Nishijima
Diagramação: Vivian Oliveira
Capa: Mateus Valadares

DADOS INTERNACIONAIS DE CATALOGAÇÃO NA PUBLICAÇÃO (CIP)
ANGÉLICA ILACQUA CRB-8/7057

Pondé, Luiz Felipe
  Amor para corajosos / Luiz Felipe Pondé. – São Paulo : Planeta do Brasil, 2017.
  192 p.

  ISBN 978-85-422-1141-2

  1. Amor 2. Filosofia I. Título

17-1185   CDD128.46

Índices para catálogo sistemático:
1. Amor : Filosofia

Ao escolher este livro, você está apoiando o manejo responsável das florestas do mundo.

2022
Todos os direitos desta edição reservados à
EDITORA PLANETA DO BRASIL LTDA.
Rua Bela Cintra, 986 – 4o andar
01415-002 – Consolação – São Paulo-SP
www.planetadelivros.com.br
faleconosco@editoraplaneta.com.br

"O amor só se conhece pelos frutos."
Sören Kierkegaard

*Dedicado a todos aqueles que morreram de amor
e a todos aqueles para quem o amor morreu.*

Amors, se sui bien apensee,
c'est maladie de pensee
antre .II. persones annexe,
franches entr'els, de divers sexe.
Venanz a genz par ardeur nee
de vision desordenee,
pour acoler et pour besier
pour els charnelment aesier.
Amant autre chose n'entent,
ainz s'art et se delite en tant.
De fruit avoir ne fet il force,
au deliter sanz plus s'esforce.

(Amor, se bem pensado, é doença do pensar
entre duas pessoas ligadas, sinceras e de sexo diferente,
que nos acomete como anseio, nascido
da visão perturbada, por abraçar, beijar e pelo
fruir carnal. Amante nada mais é do que aquele
que arde e em tal se deleita. Frutos não busca alcançar, e
em deleitar-se em nada se esforça).

André Capelão
(*Tratado do amor cortês*,
São Paulo: Martins Fontes, 2000, p. 5 e 6.)

SUMÁRIO

INTRODUÇÃO – O MEDO DO AMOR 13

1. POR QUE O AMOR ROMÂNTICO EXIGE CORAGEM DE QUEM AMA? 19
2. ENSAIOS SOBRE O AMOR 23
3. INTRODUÇÃO A UMA CONFISSÃO DE AMOR 27
4. O ROMANTISMO: BERÇO DE NOSSA CONCEPÇÃO DE AMOR 33
5. CRÍTICA À CONCEPÇÃO ROMÂNTICA DE AMOR 39
6. A MISÉRIA DO AMOR NO MUNDO CONTEMPORÂNEO 43
7. OS PROTOCOLOS DOS AFETOS: É POSSÍVEL AMAR E SER FELIZ? 51
8. COMO AMARIAM KANT E NIETZSCHE? 57
9. O AMOR PELAS NOVINHAS: "GOSTO MAIS DE MIM MESMO COM ELA" – UM ARROUBO NIETZSCHIANO EM MEIO À VIDA COTIDIANA 63
10. AMOR E CASAMENTO: ÁGUA E VINHO? 71
11. AS VIRTUDES DO AMOR: A PERSONALIDADE ENCANTADORA 77
12. O AMOR PODE CONVIVER COM ROTINAS? 81
13. O AMOR NÃO É ÉTICO 87
14. SERIA ÉTICO ABRIR MÃO DO AMOR EM NOME DE OBRIGAÇÕES COM FAMÍLIA E FILHOS? "DEDICAR A VIDA A ALGUÉM POR ANOS" IMPLICA QUE ESSA PESSOA DE FATO TE AMOU? 91
15. COMO SABER SE VOCÊ É UM CANALHA OU UMA VAGABUNDA? 95
16. O BEIJO DO DIABO 99

17. QUANDO O AMOR FAZ VOCÊ SE REINVENTAR OU SE REDESCOBRIR 105
18. AMOR É PARA IMATUROS? 111
19. O AMOR TEM CURA? 115
20. AS CONDIÇÕES MATERIAIS DO AMOR 119
21. O AMOR PELO DIFERENTE QUE FAZ DIFERENÇA: A CONDIÇÃO HETEROSSEXUAL 123
22. POR QUE OS HOMENS ESTÃO DESISTINDO DO AMOR? 127
23. CIVILIZAÇÃO E INFELICIDADE, DUAS IRMÃS QUE ANDAM DE MÃOS DADAS 131
24. O QUE É NÃO SENTIR NADA? 135
25. É POSSÍVEL CONFIAR NUMA MULHER? A POLÍTICA CURA ESSA INSEGURANÇA MASCULINA ATÁVICA? 141
26. AS CIÊNCIAS SOCIAIS DO AMOR 145
27. UM REMÉDIO PARA VOCÊ AMAR SIGNIFICA QUE VOCÊ AMA VERDADEIRAMENTE? 149
28. AMOR COMO MORTE 153
29. AMOR ENTRE PAIS E FILHOS 157
30. AMOR UNIVERSAL 163
31. UM MUNDO QUE SUPERE O AMOR 167
32. AMOR MÍSTICO 171
33. FELICIDADE E AMOR COMO SEGREDO E GRAÇA, NÃO COMO UM IMPERATIVO 177
34. "O AMOR SÓ SE CONHECE PELOS SEUS FRUTOS" 179
35. QUANDO O AMOR MORRE 181
36. O INFERNO MORAL 185

INTRODUÇÃO
O medo do amor

Uma pesquisa recente mostra que a solidão cresce nas sociedades mais ricas. Principalmente entre a população mais jovem. O medo será uma marca lembrada como nossa pelos nossos descendentes. Um mundo limpo e estéril, mas feito de covardes do afeto. Um dos maiores medos contemporâneos é o medo do afeto. Do perder-se no afeto. Entre eles, o amor, muito vendido como produto, mas muito temido como forma de descontrole da vida.

A literatura especializada sobre o amor romântico data da Idade Média, como veremos neste livro. Os medievais já chamavam a atenção para o caráter de "doença da alma" que marca a experiência do amor. Uma forma de obsessão, que tende ao desordenamento da vida cotidiana e à desorganização das instituições criadas para garantir a continuidade dos hábitos e costumes. Uma mania, diriam os psicanalistas.

Existem vários livros sobre o amor, nas suas diversas formas. Este, mais dedicado ao amor dito romântico, nem por isso deixa de discutir outras formas de amor. A marca deste nosso experimento filosófico é olhar para o amor sem medo daquilo que ele tem de "antissocial". Por isso, um amor para corajosos. Sem se preocupar com a mania universal de "construir um mundo melhor", nosso pequeno experimento filosófico para pessoas normais (isto é, não apenas para filósofos profissionais) visa passear por diversas formas, vínculos e fracassos da experiência amorosa.

Começando por suas origens literárias medievais, chegamos ao formato romântico do amor nos séculos XVIII e XIX. Amor como reação à vida moderna interesseira e burguesa, como doença dos autênticos que não conseguem sobreviver num mundo sem afeto e afogado numa racionalidade apenas instrumental: tudo o que interessa é ganhar dinheiro e ser feliz. Por isso, desde sua origem histórica nestes séculos, o amor romântico é visto (aliás, desde a Idade Média, daí seu encanto perene) como fadado ao fracasso por ser um incapaz para as demandas de uma vida protocolar.

Partindo daí, o desejo de olhar a dor desse amor nos levará a vários cenários onde ele se revela e se desdobra em diversos dramas. Da opção difícil entre uma vida estável e construída ou uma paixão por uma "novinha", passando pelo temor do envelhecimento e da irrelevância, chegando à validade ou não de investir em família e filhos, nosso *Amor para corajosos* adentrará territórios como a personalidade encantadora, as tensões entre amor, casamento e rotinas. Enfim, o conflito entre amor e ética.

Nesse sentido, este livro estabelecerá uma diferença filosófica entre o que seria um "amor kantiano" e um "amor nietzschiano". Sendo o primeiro uma busca por estabilidade e respeito e o segundo uma busca pela paixão abismal e aterradora para almas mais afeitas à regularidade do cotidiano. O amor pode levar-nos ao desespero ou à deliciosa experiência de uma reinvenção da vida através da qual gostos são descobertos e mundos desconhecidos, colocados aos nossos pés. Mas, ao mesmo tempo, o amor pode ser aquele veneno que obscurece a visão e destrói todo significado da vida que não sirva a ele, o amor.

A difícil questão se você é um canalha ou uma vagabunda quando decide "seguir seu desejo" é um tormento: você é uma destruidora de famílias? Você é idiota o bastante para se deixar levar por uma vagabunda? Você é um canalha que abandona pessoas que te amaram a vida inteira? Haveria inferno maior do que o pânico do homem inseguro diante da possibilidade de que sua bem-comportada esposa deseje fazer sexo oral em seu patrão? Terá o amor um preço? Será você rico e seguro o suficiente para bancar o verdadeiro amor?

Vale lembrar que este livro é escrito por um homem que gosta de mulheres. Não há qualquer pretensão à universalidade dos pontos de vista. Não estou no "*business* do bem": não quero ser "legal" com ninguém. Tenho muitos pecados, mas não este. Apesar de reconhecer claramente questões que vão além do ponto de vista masculino heterossexual – como, por exemplo, entender que os medievais se enganavam quando diziam que amor só existe entre pessoas de sexo diferente – em algum momento de nosso *Amor para corajosos* me perguntarei o que há de especificamente diferente no amor pelo sexo diferente (o amor heterossexual, para aqueles que não sabem o que vem a ser, é "o amor pelo sexo diferente").

São infinitas as formas e os problemas do amor. Uma das hipóteses mais caras a este autor é que o amor "se conhece pelos frutos", afirmação do filósofo dinamarquês Kierkegaard. Isso significa que o amor é uma experiência prática, jamais teórica. Pode-se fazer uma bela teoria do amor, mas, se você nunca amou e nunca sofreu de amor, se você nunca entendeu a razão de a literatura estar cheia de exemplos de pessoas que "morrem de amor", nenhuma teoria do amor vai salvá-lo do vazio que é nunca ter sofrido de amor.

Mesmo quando morre ou mata, o amor é sempre uma das experiências mais marcantes na vida. Define assim, em grande parte, uma das maiores representações do céu e do inferno que podemos carregar em nossos corações.

"UM DOS MAIORES MEDOS CONTEMPORÂNEOS É O MEDO DO AFETO."

CAPÍTULO 1

Por que o amor romântico exige coragem de quem ama?

Quando se fala em coragem na filosofia, estamos falando de ética ou moral. Coragem é uma virtude, por isso mesmo, só se aprende na prática. A rigor, não existe "aula de ética", assim como ninguém aprende a tocar bem um instrumento estudando a história do piano ou do violino. Portanto, a resposta a essa pergunta é uma resposta prática. Só se aprende a ser corajoso diante de situações que dão medo, mesmo que muitos filósofos ou palestrantes mentirosos digam o contrário por aí. A necessidade da coragem no amor romântico nasce da natureza deste: um desordenamento do afeto socialmente organizado (por "afeto" aqui, entenda-se, especificamente, o desejo por alguém que leva à dependência dos envolvidos nesse desejo, ou, dito de forma direta, "quando alguém fica louco por alguém"). Na maioria das vezes, casa-se para organizar o amor, e, nesse processo, quase sempre o matamos a fim de seguirmos vivendo ordenadamente. Compramos, viajamos, acumulamos, comemos, morremos tranquilos. Missão cumprida. Esse é o ordenamento do afeto. E isso não significa que a vida perca o sentido em razão desse ordenamento do afeto. Pelo contrário: o amor, sim, pode tirar o sentido de tudo que não seja ele mesmo. Por isso, a coragem é sempre a virtude máxima apontada pelos "especialistas" no amor. O amor é uma das melhores formas de vermos a olho nu as contradições da natureza humana. No amor a natureza humana revela sua força e sua miséria de forma mais dramática.

A intenção mais ousada deste livro é se aproximar o máximo possível de uma experiência prática, e para isso faz-se necessário desnudar o amor naquilo que ele tem de mais avesso ao ordenamento social. Ou à saúde mental. Ou às intenções civilizadoras. Ou mesmo à ética. Chegar o mais perto possível da consciência de que a necessidade da coragem para refletir sobre o amor nasce mesmo da constatação de que, num mundo de brinquedo como o nosso, qualquer coisa que atrapalhe nosso projeto de não sentir nada não será "bem-vinda". Sintamos apenas de modo saudável, sem riscos. Morramos ao afeto. Pensar sobre o amor hoje é pensar sobre nossa inapetência ao afeto.

O amor é um afeto, e, por isso mesmo, algo próximo a uma doença da alma. Se você quiser uma vida tranquila e honesta, fuja do amor. Sei que a publicidade usa imagens do amor como alimento para vendas. Mas qualquer pessoa minimamente inteligente sabe que a publicidade é, em si, uma arte do afeto: ela usa sua capacidade para desejar a fim de fazer você "enlouquecer" querendo algo. Porém o princípio da publicidade é usar o afeto sob controle, fazer você sentir algo apenas por trinta segundos. O suficiente para se apaixonar por "x". Podemos concluir desse diálogo com a publicidade que o afeto precisa estar sob controle se quisermos tirar dele uma força a serviço da vida em sociedade, vida esta marcada pelo acúmulo de bens que torna toda existência a longo prazo possível. A missão de uma vida honesta é não morrer de amor, mas, sim, de honestidade. E a missão de uma vida equilibrada é morrer de equilíbrio. A segurança mata às vezes, mas é uma morte segura e longa. Pensar o amor com coragem é pensá-lo fora da ética e da moral. Uma filosofia para corajosos sobre o amor deve atravessar a ética, indo em direção ao inferno moral. Vejamos se somos capazes.

CAPÍTULO 2

Ensaios sobre o amor

A vantagem de um livro escrito em ensaios breves é que você não precisa ser tão fiel a ele ao longo do tempo. Você pode lê-los na ordem que quiser, apesar de que lê-los na ordem em que eu os escrevi tem lá seu sentido: o sentido de quem o escreveu. Um ensaio é sempre o encontro entre um objeto de reflexão (aqui, esse objeto é o amor) e os fantasmas de quem escreve esse ensaio (fantasmas relacionados ao objeto em questão). Escrever em ensaios (mais longos ou mais breves) é um estilo filosófico praticado por gente grande como Montaigne, Nietzsche ou Cioran, além de tantos outros. Ensaio é um texto "autônomo", quase sempre curto. O filósofo Adorno dizia que escrever ensaios é pensar com o lápis, isto é, nada é definitivo, tudo é um tanto efêmero, como o pensamento na pós-modernidade. Muitos os julgam superficiais. Mas falar muito, escrever muito são traços de almas superficiais e preguiçosas. Só quem não tem nada a dizer é prolixo. Textos longos são supervalorizados, assim como uma vida longa sem a avassaladora experiência do amor. Principalmente, num mundo como o nosso, a rapidez é uma forma de elegância. Pode-se lê-los aos pedaços, fora de ordem, sem ter que começar pelo início e percorrer todo o miolo do livro para chegar ao final. Na pós-modernidade a coerência pode ser uma forma de mentira social. Em cada breve ensaio você encontra um mundo em si mesmo. Tampouco espere uma unidade de ponto de vista ao longo dos ensaios. A contradição e a ambivalência são virtudes das almas sem medo de pensar. O amor, como doença da alma que é, pede uma certa leveza no trato. O ensaio é uma forma de leveza no método. Sem nenhuma intenção de dar a você uma lição, os ensaios a seguir são, apenas, uma confissão, portanto, nunca os leia em voz alta.

Não trato apenas do amor romântico. Tampouco de sua felicidade, nem de sua viabilidade.

Não faço uma defesa do amor. O amor, muitas vezes, é uma forma de traição e destruição. Nem sempre merece confiança, muitas vezes pode ser mortal. O amor pode trazer solidão e arrependimento. Transforma-se em muitas coisas, mesmo no oposto ao amor. Pode deixar um gosto amargo de desespero ou de certeza de que a vida minimamente feliz não comporta o amor. Pode confundir a alma e levar você a tomar decisões erradas e sem volta. Pode fazer mal a quem não merece. Deve ser pensado não só ali onde brota e encanta, mas também ali onde torna tudo obscuro e tenebroso. E ainda ali onde não existe, e que onde, por sua ausência, até as flores morrem em silêncio.

CAPÍTULO 3

Introdução a uma confissão de amor

O amor mais forte é aquele assassinado. Aquele esmagado pela interdição. Aquele que destrói suas vítimas. Aquele que tira qualquer sentido da vida. Amor é doença. E que ninguém duvide disso.

Este não é um livro para menores. Este é um livro sobre amor romântico (apesar de falarmos de outras formas fundamentais de amor), aquele com que muitos sonham e poucos são capazes de suportar. O amor dá medo. Como diz André Capelão, na epígrafe, trata-se de uma doença do pensamento, ou, diríamos nós hoje, uma doença da alma. Uma obsessão da qual a vítima sofre, muitas vezes, até a morte. Uma obsessão nascida da visão da beleza da amada ou do amado. Uma visão desordenada por essa mesma beleza. Um pensamento que perde a capacidade cognitiva (diríamos nós hoje) por conta da inundação do afeto. Um desejo intenso de beijar e abraçar, de estar com o objeto desse amor. O autor afirma que o amor é uma paixão que acomete pessoas livres, sinceras, generosas (isso é fundamental, como veremos mais tarde quando discutirmos as "virtudes do amor", como diziam os medievais) e de sexos diferentes. Sei. Não vou dar atenção a isso. Sei que os chatos dirão que Capelão era "homofóbico". Não, Capelão era medieval. Evidente que homossexuais também amam romanticamente. Que também podem cair em desgraça. Apesar de a questão do "outro", presente no amor heterossexual, merecer receber algumas linhas em algum momento. A propósito, vale a pena lembrar que este livro é especificamente sobre o amor entre homens e mulheres, simplesmente porque se deve falar daquilo que se conhece quando se fala sobre forças da natureza como afetos. Que ninguém venha me cobrar o que não me interessa ou escapa ao escopo deste livro.

Apesar de termos o amor romântico como objeto essencial, trataremos de outras formas de amor, como o amor filial, o amor de mães e pais e o "amor místico". Em todos esses casos, a chave será sempre em que medida as distintas formas de amor podem ultrapassar os limites das normas que ordenam a vida dos afetos. Ninguém deve amar nada de forma violenta, pois a vida comum pede a contenção como espinha dorsal do cotidiano.

O *Tratado do amor cortês* foi escrito no final do século XII na França, berço da literatura mais tarde conhecida como literatura cortês (*la courtoise*). E por que, perguntaria o leitor desavisado, começar um livro sobre amor na Idade Média, a chamada Era das Trevas? Antes de tudo porque é lá onde primeiro se configura uma literatura "específica" sobre aquilo que posteriormente se chamou de amor romântico. Depois, porque não existe "uma Era das Trevas" em lugar nenhum. Talvez no mundo ridículo em que vivemos, cercado de felicidade por todos os lados, sim, exista. Outro motivo é que os próprios autores românticos dos séculos XVIII e XIX (criadores da concepção que temos de amor entre um homem e uma mulher) buscaram na Idade Média a inspiração para descrever aquilo que se transformará num dos fenômenos psicológicos mais importantes do mundo moderno: a expectativa amorosa. A doença do amor, para quem conhece sua história.

Guarde isto com você: o amor é uma doença da alma, assim é visto pela literatura "especializada". Claro, concepções de amor mais "positivas" existem, e trataremos delas, principalmente naquilo em que elas se relacionam com concepções de saúde psíquica: só os fortes e saudáveis amam ou, dito de outra forma, o amor não é para os fracos. Quando, entretanto, adentramos o mundo dos estudiosos do amor, não há qualquer dúvida, você verá que as teorias sobre o amor romântico tendem de forma contundente a concordar com os medievais na sua visão mais "sombria" do amor, mas nem por isso menos bela. Aliás, uma coisa que chama a atenção nas teorias sobre o amor é que será, justamente, sua beleza que trará a destruição e a desordem para a vida de suas encantadoras vítimas. Beleza e dor caminham juntas no amor romântico.

A pergunta que não quer calar é: por que grande parte dos "especialistas" considera o amor mortal? Será que uma das causas é o evidente fracasso do amor romântico quando associado ao casamento e um apartamento de dois quartos pago em cem anos? Ou aos filhos gritando no seu ouvido? Sei que muitos dirão que o amor não fracassa no casamento, mas, sim, que ele se transforma noutra coisa. Será? A paciência é uma virtude essencial na filosofia. Sem ela, como nos ensinou Hegel, não há conceito. Mas, lembremos também que a coruja da filosofia só levanta voo ao anoitecer... a pressa é um pecado no pensamento. E estamos aqui à procura de um olhar que ajude você, no seu dia a dia, a lidar com essa doença da alma e não "morrer" dela, muitas vezes, destruindo toda a sua vida por causa dela. Quem sabe, o cinismo ou o niilismo pode proteger você do amor. Muitas vezes funciona. Mas, espere um instante: não se trata de "demonizar" o amor, como leitores incautos podem entender. Não temo o amor, mas sei que ele, sim, pode dar medo. Só os ignorantes no amor não o temem. Que fique claro: esse livro é uma confissão de amor.

CAPÍTULO 4

O Romantismo: berço de nossa concepção de amor

O que é o Romantismo? Nunca é pouco lembrar que, sem compreender esse gigantesco e dramático movimento literário e filosófico que foi o Romantismo, jamais entenderemos propriamente a modernidade. De que forma o Romantismo bebeu nos medievais para construir sua concepção de amor romântico?

Romantismo é um mal-estar com a modernização. A lógica burguesa de racionalidade instrumental, ou seja, tudo é meio para ampliar a eficácia e os resultados, destrói a autopercepção das pessoas fazendo com que elas sintam que são mera função numa cadeia produtiva. Numa palavra, sentimo-nos coisa.

O nome filosófico é "reificação", do latim "rei", coisas. A devastação das tradições e hábitos medievais levou muita gente ao sentimento de que o mundo seria destruído pelos fanáticos do dinheiro, sem respeito por nada que não dinheiro. O modo de vida rural (e seus signos de durabilidade, permanência e fidelidade ao passado estável) entrava em decadência e todos se preparavam para os cálculos estratégicos de homens e mulheres modernas. A ciência e sua eficácia técnica "provava" a ineficiência dos deuses e dos ancestrais. As crenças em forças divinas cediam lugar à fé na autonomia decisória humana munida de máquinas e engenharia. A epopeia de Prometeu seguia seu curso inexorável de transformação do mundo em mera "técnica humana".

O Romantismo é uma reação a esse mundo. Busca refúgio na suposta natureza misteriosa, no passado, na escuridão, na suposta solidez da Idade Média. Naquilo que o poeta romântico John Keats (século XIX) chamava de "capacidade negativa" da alma romântica: viver sem ciência, sem razão, sem civilização. Viver na escuridão do sentimento e não na luz da razão. O Romantismo será o arqui-inimigo do Iluminismo, compreendido como a destruição da alma humana em sua profundidade, por conta de sua obsessão pela luz da razão e da ciência.

Nesse movimento, os românticos elegem a Idade Média e seus mistérios irracionais (idealizados, é claro) como seu mundo, e "fogem" para ela. Nesse processo, entram em contato com a literatura cortês, que está em epígrafe na abertura desta coletânea de ensaios, e constrói a imagem de que homens e mulheres que não se vendem e morrem de amor são os verdadeiros homens e mulheres, perseguidos por um mundo que cedeu ao interesse material como única forma de vida. Incapazes de resistir ao que sentem, mesmo correndo risco de vida por isso, seus heróis infelizes encarnam um mundo esquecido. No mundo moderno, todos apenas sonham com o sucesso material e a abordagem estratégica da vida. No mundo idealizado pelos românticos, não. Os sentimentos se impõem como forma de autenticidade contra a instrumentalização de tudo, mesmo que seus heróis paguem com a própria morte. Por isso, o amor romântico será identificado como a forma mais plena de existência autêntica, a mil anos-luz de distância da vida interesseira que assola o mundo.

O amor romântico surge, assim, como signo de autenticidade e resistência, e dessa forma permanece até hoje, para além do tema do apaixonar-se enquanto tal. Quem nunca se perdeu no amor é falso de alguma forma. O afeto é o lugar da verdade do sujeito e não sua capacidade de calcular a vida. Muito cálculo na vida implica dissolução da alma numa planilha de Excel. Quem nunca amou assim nunca viveu.

"QUEM NUNCA SE PERDEU NO AMOR É FALSO DE ALGUMA FORMA."

CAPÍTULO 5

Crítica à concepção romântica de amor

A crítica mais comum a essa forma "literária" de amor é que ele é uma invenção dos medievais, popularizada pelos românticos dos séculos XVIII e XIX e, finalmente, massificada pelo cinema romântico americano. Nesse processo, uma verdadeira neurose teria sido criada no Ocidente, atrapalhando profundamente a vida afetiva das pessoas. O amor romântico seria uma utopia barata para lidar com a banalidade do cotidiano.

Em sendo uma neurose, o amor romântico tornaria o imaginário sua vítima. Pessoas passariam a vida medindo sua vida e anseios por vínculos a partir dessa fantasia. Como consequência, a vida real seria destruída por um ideal de vínculo imaginário. Ninguém nunca está à altura de um ideal. A realidade sempre está aquém do ideal. Movidos neuroticamente por esse ideal imaginário, fruto da literatura e do cinema, nós nos tornaríamos incapazes de vínculos sólidos e construídos a partir de compromissos reais e significativos. Pelo contrário, ou casaríamos movidos por um encantamento inconsistente, ou destruiríamos nossa família em nome desse mesmo encantamento inconsistente. A ideia de um paraíso de amor em que o cotidiano, e suas demandas, não existe.

Outra crítica derivada dessa primeira, mas, de certa forma, atenuada, é que os medievais descreveram, sim, uma experiência real, e que, ao contrário dos autores românticos modernos e do cinema, eles bem sabiam que era uma doença da alma, uma forma de obsessão por outra pessoa, e, por isso mesmo, ninguém nunca poderia sonhar em organizar a sociedade e os casamentos e famílias a partir de uma *maladie de la pensée* como o *fine amors* cortês. Outra coisa era o caráter randômico e particular do amor, nunca uma experiência universal dada à natureza humana. A universalidade do amor romântico e o fato de ser buscado como única forma verdadeira de vínculo (fruto dos modernos e do cinema) criou uma expectativa falsa na vida das pessoas, levando-as para a neurose do amor, descrita anteriormente. Para esses críticos, quanto mais rápido você se liberta dessa neurose e dessa expectativa, mais rápido você pode ter vínculos afetivos duradouros e significativos para você e os filhos que poderá ter um dia.

CAPÍTULO 6

A miséria do amor no mundo contemporâneo

É importante pensarmos um pouco sobre o amor entre nós, seres narcisistas, mimados e ressentidos – essa é minha definição de "contemporâneo". Vejamos primeiro um pouco do que é essa minha definição de contemporâneo, e depois o amor nela.

Nunca houve época tão covarde quanto a nossa. E quando lembramos que a literatura cortês, matriz do amor romântico, floresceu numa sociedade guerreira (o amor depende da virtude da coragem, por exemplo), entendemos a razão da inapetência que os contemporâneos demonstram em relação ao amor. Narcisistas, mimados e ressentidos não são capazes de amar. Se aqueles que afirmam que o amor é uma "mera" invenção da literatura francesa medieval (que louvava desesperadamente a impossibilidade do desejo, impossibilidade essa que será extinta em breve, devido ao aumento da "modernização do desejo" e suas liberdades em todos os níveis) tiverem razão, não há motivo algum para o espanto diante dessa inapetência ao afeto amoroso nos contemporâneos. Trata-se de uma incapacidade histórica, fruto do "avanço" social, político e existencial da humanidade. O amor seria uma doença de uma época não "empoderada", de sujeitos incapazes de exercer livremente a "cidadania do desejo". O indivíduo empoderado do capitalismo ama apenas abstrações que não implicam nenhum risco ou sofrimento. O progresso, aliás, como afirmava Nelson Rodrigues, destrói o amor.

Quem são esses contemporâneos? Gente afeita a modas de comportamento. Sentem aquilo que é legal postar. Não podemos esquecer o conceito de Bauman aqui: no mundo líquido, o amor se dissolve em água. Pessoas líquidas são pessoas descoladas, não sofrem de ciúme. E quem não sente ciúme é um mentiroso do afeto. "Amam" muitos sem ciúme, vivem a vida sem rancor nem ressentimento, nunca encontraram alguém melhor do que eles porque "todos são igualmente legais". Um mundo de idiotas da igualdade.

O narcisista é um miserável do afeto. Uma cultura do narcisismo é uma cultura em que ser miserável do afeto é a tendência progressista do desejo. Passamos do momento em que o narcisismo era uma patologia para o momento em que ele se fez cultura e cidadania. O narcisismo se fez um novo direito entre os direitos humanos tardios. Resolve a inapetência ao afeto através de uma negação hiperbólica do sofrimento travestido de autonomia absoluta. Para não sofrer, o narcisista aprendeu a afirmar seus desejos acima de tudo. Podemos compreender tal recurso se pensarmos em toda a pedagogia narcisista há muito em voga: pense em você, ame a você, invista em você. Não resta dúvida de que a vida cobra um preço alto pelo investimento "no outro" (Sartre já dizia que o inferno são os outros), ainda que, para muitos, seja esse investimento o que dá gosto à vida.

A vida é uma forma de "desperdício" de si mesma. Uma das manifestações da cultura do narcisismo é a recusa desse "desperdício". Uma forma de mesquinharia psicológica. Visto de fora, o narcisista parece alguém que se ama muito porque olha para si mesmo todo o tempo. Por essa razão, muitos pensam que ele é um ser autossuficiente, uma espécie de sonho de consumo da cultura do narcisismo, como já afirmava Lasch em seu clássico *Cultura do narcisismo*. Para Lasch, um dos "novos" heróis (lembremos que ele publica seu clássico em 1979) era justamente esse ser aparentemente autossuficiente. Mas tenhamos sempre em mente que esse constante "olhar para si mesmo" do narcisista é fruto da sua insegurança essencial, de sua falta de amor-próprio ou autoestima (nos termos de Freud, criador do conceito de narcisismo, fruto de sua "baixa libido narcísica", resultado de uma primeira infância permeada pela presença do abandono). Enfim, o narcisista, na verdade, é aquele que ama pouco a si mesmo, portanto, o contrário do que parece ser.

Entretanto, saúde é abrir-se para o mundo e não fechar-se para ele, mesmo que em muitos momentos pareça bem justificado abandoná-lo. Para Santo Agostinho, uma pessoa é livre porque ama o mundo, logo, escapa da cela asfixiante do amor vaidoso por si mesmo. Lembremos que para alguém que escrevia em latim, como Santo Agostinho, "vaidade" é irmã de "vazio", ambas as palavras podendo ser representadas pela expressão *vanitas*. O narcisista é um buraco existencial caminhando pelo mundo, não uma *startup* existencial de sucesso. Num mundo em que as pessoas devem ser *startups* existenciais contínuas, a "opção" narcísica como modo empoderado do sujeito parece muito bem-vinda. Uma *startup* existencial (modelo de eu altamente instrumentalizado) tende a ser assertiva na vida, mesmo que nem sempre bem-sucedida.

O irmão do narcisista é o mimado. Fruto direto do enriquecimento material (riqueza instalada) dos últimos trezentos anos, o mimado é alguém que considera seus desejos um objetivo cósmico. Sua visão de mundo é bastante enfraquecida devido à sua constante sensação de que o mundo deve produzir sua felicidade a todo custo. Sua felicidade é, basicamente, as coisas e "direitos" que ele exige. Seu modelo de sociedade é aquele no qual ele mesmo e todos merecem todas essas coisas e esses direitos. O mimado facilmente se queixa e se sente ressentido.

O ressentido é o irmão gêmeo do mimado. Mais marcado pelo rancor explícito do que o mimado, que parece mais fofo, o ressentido se move pelo ódio contínuo a quem é melhor do que ele. Produto também da riqueza instalada dos últimos trezentos anos, o ressentido sofre muito numa sociedade de mercado pautada pela crescente competição, motor da produção de riqueza, essa mesma riqueza que produziu a ele e seu irmão gêmeo, o mimado. A liberdade numa sociedade de mercado produz diferença entre capacidades, o que leva o ressentido ao ódio mortal por quem é melhor do que ele. No geral, ele identifica a sociedade como um todo responsável pela sua miséria. Se Nietzsche havia identificado o ressentimento como traço ontológico do homem, na medida em que se sente abandonado pelo universo em sua constante indiferença, o ressentido contemporâneo, como bem aponta o psiquiatra inglês Theodore Dalrymple, é fruto de um contexto sociopolítico em que ele se vê como alguém "deixado para trás" pela sociedade de mercado, que é infernalmente pautada pela eficácia e rapidez do capitalismo avançado. Exigindo tudo do estado de bem-estar social, o ressentido é a versão dark do mimado. O ressentido, como bem mostra Pankaj Mishra, em seu *The age of anger*, é o refugo histórico da modernização incapaz de entregar a utopia materialista individualista prometida desde o século XIX. A tendência, segundo Mishra, é que ele se torne um fato geopolítico a desestabilizar o mundo, criando todo tipo de violência e insegurança mundo afora. Já o mimado tende a postar fotos de crianças sofrendo como forma de comprovar sua consciência social evoluída, na mesma medida em que será cruel no primeiro inventário que enfrentar contra seus irmãos.

Nos três casos, a condição miserável aparece como denominador comum. O narcisista é um miserável de afeto e autoestima; o mimado, um miserável pedinte. Ainda que pareça fofo para alguns, o ressentido, um miserável na sua plenitude de miséria, como o Mefistófeles de Goethe em *Doutor Fausto*, é alguém incapaz de criar algo de original por si mesmo, mergulhado em inveja e ódio por tudo aquilo que representa abundância, generosidade, disponibilidade.

Como pode a miséria amar? Como pode a miséria ser capaz de coragem, generosidade e sinceridade, virtudes do amor, segundo os medievais? Como a miséria pode ter saúde para se doar, como pensam os contemporâneos sobre as condições psíquicas de possibilidade que levam uma pessoa a ser capaz de amar alguém ou algo?

Não é difícil imaginar a miséria do amor nesse cenário. Ao contrário do que diz a voz comum (que acha que amor é apenas coisa de gente jovem e imatura), penso que o amor depende de uma certa dose de maturidade para resistir aos impasses que traz num cotidiano protocolar como o nosso. Os traços do mundo contemporâneo descritos aqui levantam uma sólida hipótese quanto ao retardamento mental como ordem do mundo em que vivemos. Mas, se os medievais têm razão, não apenas a ordem do mundo contemporâneo torna o amor inviável. A diferença está no fato de que uma coisa é você dizer que a ordem do mundo esmaga o amor (como na Idade Média ou no período romântico dos séculos XVIII e XIX), outra é dizer que ele não existe, ou que se pode amar sem sofrer, como pensam os retardados defensores do poliamor.

CAPÍTULO 7

Os protocolos dos afetos: é possível amar e ser feliz?

Se tomarmos como referência a maior parte da literatura "especializada", a resposta é não. O dramaturgo e escritor Nelson Rodrigues escreveu muito sobre essa impossibilidade de felicidade e amor andarem juntos.

Sei que filósofos de plantão dirão que existem formas e formas de amor e felicidade. Esse método de apontar para a instabilidade semântica ("vários significados para uma mesma palavra" em idioma dos mortais) é clássico na filosofia. De fato, muito útil para aprofundar uma reflexão, principalmente na sua espessura histórica. Mas, às vezes, pode simplesmente paralisar quem quer pensar, diante de tantas possibilidades de significado para uma mesma palavra. Já disse antes que, nos limites semânticos dessa confissão, amor é quase sempre amor romântico, nas suas grandezas e nas suas misérias. Quanto à felicidade, faço minhas as palavras do filósofo Pascal (século XVII) quando ele fala sobre o tempo: às vezes, quando se quer definir muito algo percebido como evidente pelo senso comum, como o tempo, mais se confunde o entendimento do que o esclarece. Não defino o amor ou a felicidade em momento algum nesta coleção de ensaios. Parto sempre da experiência comum dos humanos sobre o amor e sobre a felicidade, mesmo que precisando, muitas vezes, situá-la no tempo e no espaço.

São muitas as razões para se responder negativamente a essa pergunta. A primeira delas é o acúmulo de narrativas trazendo a infelicidade como final delas. Mas não quero fazer crítica literária aqui. Felicidade e amor parecem se excluir porque, antes de tudo, a vida é feita de protocolos para conter e organizar os afetos. Podemos chamá-los de protocolos dos afetos. E a felicidade é protocolar. O que é um protocolo do afeto?

Um protocolo do afeto garante, na medida do possível, uma vida tranquila e com algum sentido. Morrer cercado de netos, filhos e amigos é a prova de que você viveu como se deve. Conseguiu, na duração longa dos anos, a manutenção dos vínculos a sua volta. Cabe bem numa foto. Mas a ironia aqui não é a irmã gêmea da idiota crítica contemporânea a toda forma de vínculo afetivo institucional. Sabemos que qualquer vida real é maior do que qualquer crítica a ela. A ironia aqui se deve ao fato de que uma foto dessas pode ter sido construída ao longo de vários anos de infelicidade de muitos que posam para ela. A ironia maior é que o preço dessa infelicidade é considerado, pela maior parte das pessoas, um preço justo pela segurança e pela retidão ética para com esses mesmos vínculos congelados na foto. Felicidade numa vida civilizada é, na verdade, uma felicidade protocolar com gosto de chá. Calmante. Duradoura e sem arroubos. Por isso, não se pode amar e ser feliz porque a felicidade, na maioria dos casos, é uma felicidade que visa pôr sob controle a vida afetiva. Esse é o ordenamento dos afetos mencionado acima.

Entretanto, um certo entendimento desses protocolos mudou ao longo dos últimos anos, principalmente no que tange às mulheres. Como consequência do processo de emancipação feminina, um discurso do direito ao "prazer" na vida autoriza, em alguma medida, as mulheres a serem

Annas Kariêninas em nome da emancipação do desejo feminino. Portanto, está dentro do que se pode considerar uma fidelidade justa (logo, ética) ao próprio desejo da mulher, visto como tendo sido, até muito recentemente, esmagado pela sociedade patriarcal por milhares de anos. Digo em alguma medida porque grande parte da sociedade, incluindo as próprias mulheres, ainda fala mal de Annas Kariêninas, principalmente se não forem suas amigas a traírem o marido em nome do amor. Quanto aos homens, a infidelidade continua sendo vista como indevida e canalha. Seu desejo de amor continua sendo visto como justificadamente esmagado pela norma social. Um homem casado até pode transar por aí, mas, no caso de se apaixonar de fato e abandonar a mulher e os filhos por uma "mais novinha", a norma social não justificará seu ato dizendo que ele se emancipou contra o esmagamento de seu desejo. Restará a ele apenas o título de canalha.

O surgimento do amor romântico num contexto de protocolos sociais dos afetos costuma gerar instabilidade porque deixa suas vítimas insatisfeitas com hábitos prévios. Mesmo situações dramáticas envolvendo filhos podem ser atropeladas pelo desejo amoroso. Lugares frequentados, finais de semana, férias, tudo pode se dissolver na agonia de estar com a pessoa amada que se encontra fora desses protocolos. Uma das características da doença do amor, descrita desde a Idade Média, é o esvaziamento de significado de tudo que não "servir ao próprio amor", como diziam os medievais.

E quando colocamos o amor no espaço desses protocolos, como no caso do casamento, na maioria das vezes, o cotidiano acaba por matá-lo. Por quê? Haveria uma contradição essencial entre amor e cotidiano? Não necessariamente, mas a sabedoria popular cética e irônica parece crer que o cotidiano (leia-se casamento) destrói o amor. A própria ideia de que exista um cotidiano que não mate o amor parece uma dentre outras utopias que nunca dão em nada. Voltaremos à razão dessa descrença na existência de um cotidiano de amor em algum ensaio a seguir. Assim como à razão da crença na possibilidade da existência desse cotidiano de amor.

CAPÍTULO 8

Como amariam Kant e Nietzsche?

Pergunta estranha essa? Nem tanto. Kant (século XVIII) e Nietzsche (século XIX) representam duas correntes quase opostas na filosofia moral moderna e contemporânea. E quando falamos de amor estamos sempre margeando a filosofia moral. Há uma oposição frontal entre os dois grandes filósofos alemães, oposição essa que pode nos ajudar a entender um pouco mais esse conflito aparentemente essencial entre amor e ordenamento da vida cotidiana. Kant é um filósofo da civilização, Nietzsche, um romântico. Nietzsche vem da mesma cepa que o amor romântico: da crença em que o centro da vida é a vida estética, ou seja, a vida das sensações, a vida do coração. Kant, um racionalista da moral, parecia desconfiar profundamente das loucuras poéticas e místicas de seu amigo Hamann (o "Mago do Norte", como ficou conhecido), outro romântico como Nietzsche. Por que racionalistas "temem" o amor? Para Nietzsche, não seria só por medo dos "inconvenientes irracionais do amor", mas principalmente pelo ressentimento que todo racionalista traz dentro de si por ter uma alma seca. Quem é incapaz de amar inveja quem ama – isso também já diziam os medievais. Vejamos como esses dois gigantes amariam.

Kant se emocionava (se isso é possível imaginar) com a ordem cósmica "nascida" da mecânica gravitacional entre os corpos celestes e com a lei moral abaixo deles, em nosso mundo humano. Essa lei moral é fruto da razão que se coloca por si mesma a necessidade de que o mundo seja justo e coerente (o chamado "princípio de razão suficiente" kantiano). Nosso herói da razão, iluminista alemão (coisa rara), entendia que a moral precisava de uma fundamentação racional já que a fundamentação religiosa estaria com os dias contados – assim como a física metafísica de Aristóteles abraçada pelo cristianismo desde sempre caducou em virtude da mecânica newtoniana. Kant também percebeu que seria necessária uma fundamentação universal para a moral; do contrário, em algum momento a violência se imporia como consequência de uma lei moral parcial e local, o que em filosofia chamamos de relativa. Para isso, Kant cunhou sua ideia de imperativo moral categórico (universal é sinônimo de categórico em filosofia): aja de modo tal que sua ação possa ser erguida em forma universal de comportamento. Quando você vive com uma pessoa, você não pode abandoná-la, pelo simples fato de que se todos fizessem isso, ninguém poderia confiar em ninguém. Você deve sempre pensar no ordenamento do convívio coletivo e não nos delírios do seu desejo. É claro que existem advogados para minimizar e criar sistemas de compensações para as falhas morais humanas. Mesmo assim, o que emana da concepção de vida kantiana é a ideia de obrigação e normas que devem conduzir inclusive os afetos. Condução racional dos afetos implica o controle do amor a serviço do convívio social. Casamentos longos, permeados pelo respeito ao outro, projetos de longo prazo, políticas de redução de riscos e danos no dia a dia, previdência privada, casa própria. Um amor kantiano seria tudo, menos impetuoso. Pelo contrário, a vida afetiva seria comedida na medida em que serve, antes de tudo, à continuidade da vida em sociedade e dos filhos dessa sociedade.

Já o amor nietzschiano seria quase o oposto disso. Filho do Romantismo, Nietzsche pensava contra o ordenamento a serviço da perenidade protocolar. Um amor nietzschiano seria fiel aos impulsos do desejo e à autenticidade deste. Visto de fora, pareceria um infiel por natureza; visto de dentro, ao contrário, a fidelidade ao próprio desejo e afeto seria o "critério" máximo do amor. O filósofo do martelo considerava a vida kantiana uma vida a serviço do ressentimento e do medo da própria vida. Sem dúvida, segundo a concepção de nosso trágico filósofo, só os fortes seriam capazes de amar verdadeiramente. Se Kant teria medo do desordenamento que o afeto causa, Nietzsche veria esse desordenamento como uma dança da qual só os corajosos seriam capazes de participar. Os outros, os kantianos, morreriam ou de medo dela ou de tédio por evitá-la.

Não se apresse em identificar-se com o amor nietzschiano. A vida é mais kantiana do que nossos arroubos gostariam que fosse. A vida nietzschiana produz insegurança na maioria de nós. A maturidade ou maioridade kantiana (que para o nosso alemão racionalista significava organizar o comportamento a partir da razão) é abdicar das apostas afetivas em favor de um bom filme no Netflix com alguém cujos hábitos você já conhece, mesmo que não goste muito deles. A "criatividade" e a espontaneidade da vida nietzschiana não se encaixam no mundo contemporâneo (ao contrário do que os bobos pós-modernos pensam em seus delírios egoicos) em que todos querem garantias, direitos e seguros de saúde sólidos. Kant venceu a batalha pela ordem da vida no mundo moderno, mesmo que as lojas vendam estilos nietzschianos nas roupas. Como todo romântico, Nietzsche era um exilado na modernidade. O amor nietzschiano tem a força de vulcão; o kantiano, a segurança de férias num *resort*.

"PENSAR O AMOR COM CORAGEM É PENSÁ-LO FORA DA ÉTICA E DA MORAL."

CAPÍTULO 9

O amor pelas novinhas: "Gosto mais de mim mesmo com ela" – um arroubo nietzschiano em meio à vida cotidiana

Talvez seja essa a última fronteira da crítica aos preconceitos morais. Mas não creio que essa crítica jamais aconteça porque quem fez e faz a maior parte da crítica moral de padrões "ultrapassados" são mulheres, mulheres maduras... justamente, aquelas que são "trocadas" pelas novinhas. Os homens, na maioria das vezes, não acreditam ou pouco conhecem a palavra do afeto. Creem mais na política, na ética (não aplicada ao campo do afeto). Homens gays, sim, mas estes nada entendem da paixão por uma novinha. Portanto, falta aos homens um vocabulário que os ajude a "defender sua causa" (tenho horror a essa expressão, mas ela é boa para dizer o que eu tenho em mente aqui).

Uma mulher mais velha com um homem mais jovem será vista como ridícula por muitas outras, mas o discurso "técnico" da ética contemporânea se prepara a cada dia para justificar esse comportamento dentro da agenda geral de emancipação feminina. A pergunta é sempre a seguinte nesse "mercado da emancipação": o que seria a emancipação masculina?

Deixemos claro que o termo "novinha" é apenas uma metáfora usada pelos funkeiros e nas redes sociais para designar mulheres mais jovens que se envolvem com homens mais velhos. Nunca é pouco avisar aos desavisados. A leitura estúpida hoje é mais comum do que jamais foi. O acesso democrático à informação trouxe à tona muita coisa, inclusive estupidez igualmente distribuída entre homens e mulheres.

O julgamento condenatório é imediato: largou a esposa depois de anos para ficar com uma mulher mais jovem? Para a norma moral social aplicada a esse caso (a única que não mudou, aliás, piorou), de cara a mulher mais jovem é uma vagabunda. A mulher mais jovem que se apaixona por um homem mais velho "sempre quer dinheiro", ou algo semelhante. Ele é um canalha, idiota; ela, uma vagabunda em busca de vida fácil. Deixemos de lado o preconceito e olhemos mais de perto o fenômeno.

De fato, trata-se de um drama moral. Após anos de vida em conjunto, um casal guarda memórias, afetos, ressentimentos, filhos, netos. Muitas vezes, toda uma construção de patrimônio que não se refere apenas a bens materiais. Um verdadeiro patrimônio de afetos.

Supondo por um instante que ele não seja um canalha, ou que sua mulher não seja uma megera (o que a crítica costumeira diz ser o argumento que o canalha vende para a novinha) ou que a mulher mais jovem não seja uma vigarista. Assumamos, como princípio metodológico, pelo menos, que estamos nos movimentando no âmbito de pessoas que apenas vivem a vida de modo honesto, sincero e sem artimanhas (com isso não quero ser ingênuo em relação aos vícios que permeiam as virtudes banais). Assumamos que ele nunca planejou se apaixonar por outra mulher depois de tantos anos de casado, ou que a mulher mais jovem nunca planejou destruir um sólido casamento e tirar pai e marido de ninguém. Entretanto, guardemos em mente que, no calor da batalha, as pessoas, muitas vezes, mostram o que há de mais terrível e dramático nelas. Nesse processo dores terríveis podem destruir tudo, inclusive o casamento, a família e mesmo o novo relacionamento.

Partamos do princípio de que estamos diante do que o filósofo Isaiah Berlin (século XX) chamaria de conflito do bem contra o bem. Esse homem enfrenta, por um lado, o despertar para uma outra vida (um bem), e por outro, a preservação de uma história de muito significado (outro bem). Se quisermos entender o drama amoroso em questão, sem tingi-lo de partida com tons de mau-caratismo, precisamos supor esse tipo de conflito como pano de fundo.

Imaginemos esse homem sendo um adulto maduro e que sente que cumpre sua missão constantemente. Diferentemente da maioria das mulheres, os homens não perdem tanto a libido com o passar dos anos. Os "bons" acomodam-se à perda de libido das mulheres com quem vivem e acompanham os "esforços hormonais" delas (quando podem tentá-los sem risco maior de câncer), e a montanha-russa que significam no dia a dia em termos de mudanças de humor, mal-estar, desconforto. Ao lado disso, veem como elas continuam investindo em todo tipo de "afeto em rede": família de origem e a sua própria, trabalho, casa, amigas, religião. As mulheres maduras parecem conseguir viver sem sexo com mais facilidade ou elegância – não é bem assim, mas é de alguma forma assim – do que os homens. Aí surge uma diferença importante: homens tendem a ter uma afetividade mais "focada". Por isso, você pode ver com mais facilidade uma mulher sair de um casamento "sozinha", mas dificilmente verá um homem sair de um casamento que já não funciona mais sem um novo amor. E esse novo amor, na maioria das vezes, é uma mulher mais jovem. Por quê?

Lembremos que, no calar da noite, essa esposa pode mesmo pensar que seu "bom" marido pode até meter noutra mulher, mas nunca "se meter" com outra mulher. As antigas, sempre mais sábias, de alguma forma lidavam com isso sem ONGs, manifestações na Paulista ou ressentimentos absolutos. Com isso, não quero dizer que não houvesse sofrimento. Este sempre há. O problema é que o amor (não apenas sexo) de um homem casado por outra mulher não encontra acolhimento no "mercado da emancipação". Será comum você ouvir que uma mulher se apaixonou fora do casamento (ou mesmo que apenas fez sexo fora do casamento) e justificar esse fato com a emancipação contra a opressão do desejo feminino pela estrutura patriarcal. O homem, na mesma situação, será sempre um canalha, nunca um emancipado do esmagamento dos sonhos masculinos com relação a uma mulher que o deseje acima de tudo e que o faça se sentir como nunca se sentiu antes. A grande revolução na vida afetiva de um homem hoje é encontrar uma mulher que não compita com ele em tudo, que não cobre dele tudo, que não seja a eterna vítima de sua masculinidade, mas, sim, que deseje essa mesma masculinidade como forma de diferença irredutível para com sua própria natureza feminina. Uma das maiores mentiras de nossa época é o suposto amor pelo diferente. Esse tipo de amor, tão importante para a literatura medieval de amor cortês, é justamente o que está em crise. A moda é o homoerotismo, que, em si, é o desejo por si mesmo, pela forma mesma do próprio corpo e da própria alma.

No âmbito masculino, a frase "gosto mais de mim mesmo com ela" deve ter a sua atenção. Além do fato de que a mulher mais jovem mantém vivo o desejo sexual, e, assim, dá pleno vigor ao desejo sexual masculino, muitas vezes esmagado pelo dia a dia sem libido da esposa, o encantamento dela traz de volta para o homem a sensação de que ele pode ser, de novo, o centro da vida de uma mulher. E este é um fato marcante para um homem (e que nossa cultura não quer tomar consciência): um homem precisa, na maioria das vezes, de uma mulher para se sentir plenamente vivo – talvez, a mulher mais madura seja mais autônoma nesse aspecto do que o homem, se por maturidade entendermos a capacidade de viver sozinha.

Esse amor trará para esse homem a sensação de que ele está vivo de novo. A felicidade inundará seu dia a dia, como o amor correspondido e livre normalmente o faz para se manifestar. Não se trata de fazer a apologia da destruição de casamentos sólidos. Trata-se, apenas, da constatação de uma tragédia. Esse homem viverá o conflito entre dois bens: sua história, o que ele deve a ela, seus filhos, contra a chance de viver de novo, plenamente, como um homem ativo afetivamente. Enfim, toda uma vida lançada contra duas possíveis versões da mesma vida. A chance de descobrir que ele pode ser outra pessoa, mais leve, com outros hábitos, pode levá--lo a fazer essa difícil escolha. Sua esposa sofrerá enormemente, seus filhos e amigos também. Sem coragem, ele não será capaz de correr esse risco. No processo, perderá patrimônio e admiração de muitas das pessoas que conhece, afora os próprios filhos, muitas vezes.

No filme *Turista acidental*, o personagem interpretado por William Hurt, quando toma essa decisão, diz uma frase que é a grande definição da alma de um homem nesse momento: "Gosto mais de mim quando estou com ela", referindo-se à jovem por quem se apaixona (interpretada por Geena Davis). Essa frase talvez resuma o que há de mais importante para um homem que vive essa experiência: os homens "bons" raramente se preocupam com o "como se sentem" diante das coisas. Raramente pensam em "versões" possíveis de si mesmo (para falar de uma forma pós-moderna). Mulheres são bem mais treinadas nesse campo de redefinir sua vida, principalmente, depois da emancipação feminina. Talvez seja essa uma das maiores utopias na vida de um homem "bom": escolher a si mesmo contra uma vida de responsabilidades que já não faz mais sentido. E para a maioria deles, é uma mulher mais jovem que traz essa realidade de sentido (para além do trabalho, quando este faz sentido) para seu corpo e seu espírito. "Não sabia que eu podia ser tão feliz" é o resumo dessa ópera.

CAPÍTULO 10

Amor e casamento: água e vinho?

Por que se diz que o casamento acaba com o amor? E se assim é, por que as pessoas continuam casando por amor? Contradição? Sim, a coerência em nós é fruto de muito esforço, e, muitas vezes, é tanto o esforço que os coerentes ficam obsessivos em combater qualquer contradição. Mas, se olharmos para a história, veremos que nem sempre se associou o casamento ao amor.

Antigamente, casava-se apenas por patrimônio ou interesses políticos, por isso, só ricos e poderosos casavam. Ninguém planejava um casamento por amor, já que antigos e medievais entendiam o amor romântico como *páthos* (doença da alma, no caso). Não se imaginava que alguém se unisse institucionalmente a outra pessoa levando-se em conta um "intelecto" danificado pelo *páthos*. Dito de forma direta: quem ama não pensa direito. Os pobres não casavam, apenas se reproduziam ao gosto do desejo. Saber quem era o pai de uma criança era um luxo. Só ricos e poderosos precisavam saber quem era o pai, a fim de estabelecer a correta herança em jogo. Até hoje, filhos de famílias ricas precisam ser mais cuidadosos quando casam, pais suspeitam com frequência de pessoas que se interessam por seus filhos quando estes são herdeiros. E quando alguém se apaixona, a possibilidade de tomar decisões erradas é ainda mais comum do que quando pensamos friamente sobre as coisas.

A partir da organização moderna introduzida pela civilização, seja ela cristã ou não, e da "democratização das posses" (mesmo que pequenas), o casamento tornou-se um modo de ordenar não só essas mesmas posses, como o tecido social. Dizer quem pode deitar-se com quem é um modo de organizar sociedades com população crescente e concentrada geograficamente. Homens sempre se mataram pelo desejo pelas mulheres, e vice-versa. Ainda hoje, muita instabilidade na vida privada (e mesmo pública) advém de rupturas no ordenamento do desejo e do amor.

Com o advento do Romantismo, na segunda metade do século XVIII, como modo de mal-estar com a modernização, e a destruição dos vínculos tradicionais, a expectativa da "cura romântica" tornou-se um fato. O Romantismo desvia o centro da vida, criando o próprio conceito de personalidade, para o sentimento, vendo neste o único signo de vida autêntica. A ideia de que existe uma vida do sentimento estabelece o conceito de amor romântico instituído como conhecemos hoje. Já que não tenho mais nada, se não tiver dinheiro, como diz Werther, personagem de Goethe em livro homônimo, pelo menos tenho a mim mesmo e o amor que sinto por Charlotte (personagem casada e fiel ao seu marido, mas que vive uma intensa e platônica relação amorosa com Werther). Nascem assim o "eu mesmo" e os sentimentos que o definem. A universalização do amor medieval torna-se, então, uma expectativa de todo homem e toda mulher comum. Buscando na Idade Média (e nos seus contos de coragem e amor) um refúgio para um mundo racionalizado pelo dinheiro, os românticos criam a possibilidade do amor romântico como modo de vida passível de institucionalização contra a mentira do mundo burguês. Romances como os da inglesa Jane Austen, no século XIX, narram a luta de homens e mulheres para serem fiéis ao amor contra os interesses de casamentos pautados pela estratégia do acúmulo de bens. Erro crasso para autores como Denis de Rougemont, que, já no século XX, acusará esses mesmos românticos e o cinema americano de terem erroneamente criado uma neurose do amor. Os medievais sabiam que o amor romântico era uma doença e um risco (apesar de delicioso), e que ninguém nunca deveria esperar fundar um casamento nele. Pelo contrário, deveríamos fugir dele como se foge de uma peste. A beleza mesma dessa peste era sua forma mais perigosa de contágio.

Essa neurose do amor criou uma indústria e uma instituição fadadas ao fracasso, principalmente com o advento da longevidade depois dos avanços da medicina. Vidas longas acabam por dissolver o amor na própria longevidade. Será?

O amor não resistiria, como já diziam os medievais, ao cotidiano, cuja natureza é destroçar o mistério e o desejo uma vez autorizado. O casamento torna o desejo uma "obrigação".

Claro que casamentos podem, sim, tornar um amor romântico inicial em alguma experiência de parceria sólida e significativa; portanto, não acho que por definição o casamento seja o túmulo do amor, mas, sim, pode ser o túmulo do desejo. É evidente o enfado de muitos casais depois de muitos anos de casamento. Vemos isso nos restaurantes pelo mundo. Principalmente quando os filhos se vão. A perda do interesse pelo outro, atolado nas banalidades da intimidade, é perceptível em toda parte. O casamento destruiria o amor e o desejo por ser essencialmente protocolar. Mas, sim, podem existir experiências que transcendam esse fato de o cotidiano destruir o encanto. Transcende-se esse destino negativo ao mesmo tempo que o envelhecimento pode se tornar uma cumplicidade construída pela memória e pelos sofrimentos conjuntos. A confiança mútua, nem sempre óbvia como fato, pode ser uma das razões que fazem um casamento sobreviver ao desastre do encanto afogado no cotidiano.

Muitas vezes, a destruição do amor pelo casamento vem pelas mãos da busca de bens materiais que tornam a vida possível. Filhos (que não são um bem material em si, mas demandam muitos bens materiais), seguro-saúde, viagens de férias, casa própria, tudo pode dissolver o amor, ao mesmo tempo que, em tese, seria parte necessária do amor. A própria ideia de "construir algo juntos" pode levar o amor ao desaparecimento, por exemplo, em meio a reformas da casa que levam o casamento para o naufrágio. De todas as formas de destruição do amor, esta talvez seja a mais traiçoeira: você mata o amor querendo criar condições concretas para vivê-lo. Anos depois, o que sobra são a partilha dos bens ou um grande sentimento de engodo do afeto.

Mas a desconfiança com relação ao casamento garante o amor? Penso que não. Na verdade, por mais irônico que possa parecer, a desconfiança com o casamento por parte de muitos jovens traz consigo uma descrença no amor enquanto tal. Porque amor é vínculo que pede continuidade na vida concreta (e o casamento é a instituição que responde a essa necessidade de continuidade do vínculo), mesmo que morra, na maioria das vezes, quando é colocado a serviço do ordenamento do desejo, função primordial do casamento. Seria possível construir um "hábito do amor" em que a dimensão protocolar não se tornasse a principal demanda cotidiana?

CAPÍTULO 11

As virtudes do amor: a personalidade encantadora

O amor encanta pela sua simples entrada num ambiente. Os medievais já falavam que o amor tem virtudes que lhe são naturais. Coragem, espontaneidade, autenticidade, desprezo pelos protocolos sociais, urgência em servir ao próprio amor.

O olhar masculino sobre a amada (o único que posso descrever por experiência própria) é aquele que vê a doçura nos gestos da mulher amada, a gentileza e perspicácia de entender que o homem é, muitas vezes, uma criança encantada por quem parece elegê-lo como centro de sua vida. A beleza escraviza o olhar masculino. Sim, não basta a beleza física, mas ela tem um poder enorme sobre o homem, independentemente do que as furiosas histéricas feministas digam nas mídias sociais. A alma da mulher amada é parte dessa beleza. Sob o olhar masculino, a inteligência numa mulher amada é parte de sua personalidade sedutora. O modo como ela se revela inteligente tem a força de uma saia justa com salto alto. A inteligência cheira a batom vermelho na boca de uma mulher amada.

A coragem é necessária para não sucumbir à insegurança que todo amor traz (seja você homem ou mulher). A literatura está cheia de exemplos como o do Dom Casmurro de Machado de Assis e a infeliz Capitu. O cuidado para com os fantasmas que vêm junto com o amor é virtude capital entre pessoas que se amam. A gentileza dos que se amam deve passar inclusive pelo cuidado com as inseguranças de quem ama. Fácil ver alguém narcisista quando este se diz indiferente às agonias do amor. A autenticidade não é mera mania de dizer verdades inconvenientes, mas a virtude de se ver constantemente no amor e no desejo de fazer o outro feliz. Perder-se no amor por alguém é encontrar-se como ser humano que para existir precisa de um outro a quem reconheça como o ser humano mais importante no mundo para si. Afinal, alguém em quem confiar. Autenticidade nos leva à dor muitas vezes, porque a realidade tem vocação para a dor, a menos que você deixe de sentir qualquer coisa. Para os medievais, essa autenticidade é que acaba por destruir os amantes: a consciência moral da traição ao marido com o seu melhor amigo, a consciência moral de trair seu melhor amigo com sua esposa. A incapacidade de resistir a esse amor, mesmo, em alguma medida, criminoso. A leveza para com a desatenção em relação aos protocolos sociais talvez seja um dos maiores objetos de inveja dos que não amam, esmagados pela fidelidade a esses protocolos que os defendem do pânico de uma vida morta, mas longeva em acomodações e desistências.

O encanto moral do amor nasce justamente desse encontro entre coragem, leveza, desespero e desejo.

CAPÍTULO 12

O amor pode conviver com rotinas?

Eis uma questão que atormenta a todos nós. Uma das causas mais comuns para a destruição do amor, dizem, são as rotinas. O problema é que a vida é feita de rotinas. Sem elas, vive-se a pura irrealidade.

Não creio que rotina por si só destrua o amor. A questão é a qualidade da rotina ou o que nela "se repete". Pelo contrário, a rotina pode ser um poderoso elemento estabilizador na vida, uma fiadora da confiança, e amor sem confiança não existe. A rotina dá a você a sensação de que a vida é algo conhecido, pelo menos em parte. A rotina é a carne da confiança, sua repetição cotidiana. Podemos agradecer até a formas menos boas de rotina, contanto que torne nosso mundo, em alguma medida, reconhecível e previsível. E, nele, você e eu. Sem rotina não sei quem eu sou, nem meu lugar no mundo; portanto, dizer que a rotina sempre destrói tudo que seja positivo na vida é um erro.

Mas, e o amor com isso? Volto a dizer o que disse antes: a qualidade do que se repete é o importante nesse caso e em qualquer caso em que a rotina não seja sua inimiga, assim como no caso de quem tem um trabalho significativo. A possibilidade de que a rotina materialize, em grande medida, práticas que convergem para o que é significativo ou prazeroso na vida a dois pode ser definitiva na qualidade da rotina. Portanto, a questão não é a rotina em si mesma, mas o que repete no corpo do cotidiano.

O risco, sempre, é que o cotidiano imponha rotinas completamente deslocadas do desejo, do significado e da esperança de que você não seja apenas uma peça numa engrenagem que é sua própria vida. A sensação de que a sua vida é uma engrenagem que você mesmo montou e que te esmaga é pior do que a sensação de que a engrenagem que te esmaga tenha sido criada por algo ou alguém que não foi você.

O amor pode encontrar acolhimento em rotinas que respondam às necessidades dele: confiança um no outro, coragem de brigar quando necessário, generosidade na partilha do dia a dia, sinceridade nas misérias de cada um. Talvez a pergunta infernal que salve o amor da rotina seja: o que de fato você quer na sua vida cotidiana? Você é capaz de saber isso? Não creio que a maioria de nós saiba o que queremos em nosso dia a dia. A pergunta só se constrói em minha mente quando estou diante das possibilidades concretas: cinema, trabalho, viagens, sexo (às vezes).

O fato de o cotidiano ser restrito – e é mesmo – pode nos dar a impressão de que o amor sempre será asfixiado nessa restrição. Não existe muito mais a fazer do que cinema, trabalho, viagens, sexo (às vezes). Mas a qualidade é quase sempre indiferente à quantidade. O que torna uma rotina insuportável não é ela em si, mas se nela se repetir a exclusão de quem a vive. Se a rotina não corresponder, na sua maior parte, ao desejo de quem a experimenta, ela será a morte do amor. Se ela for, pelo menos em alguma medida, um espaço e um tempo de encontro de você consigo mesmo e com a pessoa amada, provavelmente a rotina será sua aliada e não sua inimiga. O grande inimigo mesmo é quando você se perde na construção das rotinas, e isso é sempre o mais fácil de acontecer. Na maioria esmagadora das vezes, a rotina é construída para nos proteger do nosso próprio desejo, porque este é quase sempre perigoso para nossa longevidade.

"PODE EXISTIR SAFE SEX, MAS NÃO EXISTE SAFE LOVE."

CAPÍTULO 13

O amor não é ético

Talvez seja esta uma das questões mais difíceis em relação ao amor: sua atitude ambivalente em relação ao que seria ético na vida. Talvez seja uma das mais frequentes *causa mortis* do amor na vida: nem todo mundo consegue viver para além do bem e do mal.

Como sabemos, o amor não pede licença para entrar. Os medievais já sabiam disso quando o descreviam como uma doença enlouquecedora, que, na época, se caracterizava por destruir o patrimônio do homem e a reputação da mulher. O modo como ele se espalha pela alma e pela vida da pessoa vai fazendo com que o significado dessa vida, antes estabelecido mesmo pela falta de significado (no caso de pessoas tristes com a própria vida), comece a perder força. O amor esvazia as pessoas que amam de qualquer outro sentido. Por isso, o pensamento e o sentimento ficam submetidos ao desejo pelo amado. Essa submissão é o processo de enlouquecimento de que os medievais falavam.

Uma vez instalado, o amor pode levar os amantes a tomar decisões que ferem qualquer ética para com a vida, principalmente no que se refere às pessoas relacionadas a eles dois, porém fora do amor que sentem um pelo outro. Muitos, quando amam, buscam sustentar o desejo mesmo que esse desejo destrua tudo mais que não faça parte dele. Afirmando a ideia de que o amor, sendo belo, torna a vida bela de alguma forma (mesmo daqueles que sofrem porque você, por exemplo, os abandonou em nome do amor), a experiência amorosa produz, assim, uma experiência estética (sensorial) raramente vivida em outras áreas da vida. E dotada de uma fúria também quase inexistente em outras áreas da vida cotidiana. No mundo contemporâneo, em que você tende a sentir que se não investir em seus próprios desejos você é um idiota "oprimido", abandonar os outros em nome do que você quer é quase um imperativo categórico kantiano perverso. Mas, independentemente disso, o amor pode tornar a vida insuportável, a menos que você, como diziam os medievais, o "sirva" como senhor absoluto. Por isso, traições, abandonos de parceiros que dedicaram a vida a você e de filhos podem acontecer de fato. Por causa do amor, alguém pode agir de modo cruel aos olhos de quem está fora do amor. Por isso, o conflito entre virtude e amor é apontado tantas vezes pela literatura especializada (como no caso do poeta mexicano Octavio Paz, que tanto escreveu sobre o amor medieval) como sendo o centro do conflito ético no amor. Para Paz, ao servir a virtude (seguir fiel ao cônjuge e filhos, por exemplo) você necessariamente será destruído pela chama do desejo. Mas, ao contrário, se servir à chama do desejo, será consumido pela culpa (uma pessoa virtuosa sofreria por trair alguém que não merece). Por isso ele fala de "chama dupla": o amante sempre arderá num dos dois casos. A análise do poeta permanece fiel aos medievais, mas, aos olhos de alguém contemporâneo, pode ser vista apenas como repressiva.

A verdade é que, quando se ama, as decisões morais tendem a ser submetidas ao próprio desejo de estar com a pessoa amada, e isso quase sempre deixará os vínculos prévios sob o risco de destruição.

Você tenderá a odiar quem abandona você mesmo quando você ainda o ama. A alegria dos amantes é veneno para quem foi abandonado em nome dessa alegria. Portanto, não se pode fazer uma afirmação ética universal kantiana sobre o amor. O amor não pode ser erguido em norma universal de comportamento, como pensava Kant em seu imperativo categórico (aja de forma tal que seu ato possa ser erguido em norma universal de comportamento). Muitas vezes amar é antiético, e o mais "justo" será sufocar esse belo sentimento em nome de um bem maior. Ou, será você suportar a certeza, que muitas vezes virá pelas mãos de pessoas a sua volta, de que você é um canalha ou uma vagabunda. Ou ainda um risco maior: talvez você seja mesmo um canalha ou uma vagabunda destruindo uma vida cheia de sentido e generosidade, materializada em hábitos invisíveis, em nome da loucura de um desejo novo. Aliás, como saber se você é ou não, de fato, um canalha ou uma vagabunda?

CAPÍTULO 14

Seria ético abrir mão do amor em nome de obrigações com família e filhos? "Dedicar a vida a alguém por anos" implica que essa pessoa de fato te amou?

Eis uma questão primordial em alguns momentos da vida. Uma das maiores críticas que se fazem a alguém que abandona um parceiro anterior em nome do amor por outra pessoa é ter abandonado alguém que dedicou a vida dela a você. Coisa difícil de discernir às vezes, principalmente, quando essa vida "dedicada" está repleta de histórias e memórias, ou repleta de construções institucionais do tipo filhos, patrimônio, objetos compartilhados. A pergunta a se fazer é: "dedicar" a vida a alguém é, necessariamente, fruto de amor? Haveria outras razões para alguém passar a vida com uma pessoa, e mesmo construir uma vida de histórias, memórias, filhos e patrimônio além do amor? Sim, há. Medos, sintomas, falta de oportunidade ou coragem podem levar uma pessoa a "dedicar" a vida a outra? Sim. Ou, parafraseando Spinoza, filósofo do século XVII, a dedicação a alguém poderia ser fruto de paixões tristes e não de paixões alegres? O que seriam essas paixões tristes nesse caso?

Se fizéssemos uma radiografia de uma vida inteira dedicada a alguém, talvez não encontrássemos tantas paixões alegres do tipo amor, desejo sexual, generosidade, atenção, parceria, cuidado. Com isso não quero dizer que não existam casos de uma vida inteira dedicada a alguém movido por paixões alegres. É justamente o fato de que a possibilidade existe (os céticos duvidam, pensam que apenas por milagre longos relacionamentos se mantêm por paixões alegres porque o cotidiano transforma tudo em protocolos do afeto a serviço do ordenamento do desejo) que torna a decisão de abandonar alguém ou não um dilema moral significante. Como saber quando é o quê? Como saber se você e ela ou ele foram movidos por paixões alegres ou tristes?

O fato é que muitos relacionamentos longos podem ser construídos em cima de hábitos de medo, preguiça, insegurança e chantagens, além, claro, de patrimônio envolvido. Muitos homens permanecem em relacionamentos longos para não perderem o contato com os filhos, e mulheres, com medo de queda de padrão de vida. Chantagens aqui são comuns de ambas as partes. Apesar de o debate, como é praxe, contemplar pouco as questões masculinas contemporâneas, porque o debate desses temas é monopolizado por mulheres e gays.

Então, a civilização como um todo depende, em grande parte, da submissão das pessoas a esses contratos que contemplam a institucionalização de infelicidades contínuas. A felicidade pode ser disruptiva, como se vê em casos de sucesso de um dos cônjuges ao longo da vida a dois, principalmente se ela for a bem-sucedida – que ninguém venha com exceções como se fossem exemplos.

E quando você se vê diante do dilema moral de a pessoa com quem você vive merecer ou não ser abandonada pelo amor que inesperadamente surgiu em sua vida, talvez o melhor não seja se colocar o dilema e pronto. Talvez Nietzsche ajude mais do que Kant. Ou talvez a tentativa de olhar e lembrar detalhes da vida pregressa pode ajudar você a resolver esse dilema. Mas, suspeito, o mais difícil é acreditar que, por ser uma pessoa minimamente honesta e empática, a sorte tenha sorrido justamente para você.

O maior dilema é: tenho eu direito de mudar tudo e seguir esse amor? Não será ele apenas uma ilusão momentânea? O fato é que não há direitos em jogo aqui, certezas tampouco. A pergunta que não quer calar é: posso eu, entre tantos, ser um dos poucos que amam e são amados? Acima de tudo, suspeito, é o estado de miséria afetiva em que vivemos que nos faz achar que ao final o amor não existe ou que estou me iludindo com ele.

Não deixa de ter sua beleza abrir mão do amor pelo casamento instituído, pela história e pelos filhos. A infelicidade virtuosa tem seu lugar na galeria da coragem. Os medievais já sabiam disso. Mas como negar o milagre quando ele sorri para você? Dar as costas para esse tipo de beleza, aquela que o amor romântico traz para a vida, não seria um tipo de medo de não suportar uma possível felicidade? Uma das desvantagens da felicidade é que ela tira de você o direito de ser vítima, e ser vítima é quase sempre um bom negócio quando a sociedade depende tanto de hábitos de infelicidade para manter as pessoas sorridentes. Ser vítima é, muitas vezes, uma garantia de segurança moral na vida: a vítima "nunca" é a culpada na relação.

CAPÍTULO 15

Como saber se você é um canalha ou uma vagabunda?

Lamento dizer, mas não é fácil responder a essa pergunta. O contexto determina muito. Nem os sofistas imaginaram uma prova maior da tese relativista: a verdade depende de cada um. Se as pessoas são suas amigas, elas dirão que não; se não são, dirão que sim. Nada é mais relativo do que isso na vida. Mulheres de saia curta serão mulheres livres exercendo sua liberdade se forem suas amigas, e serão vagabundas se forem amigas dele. Ele será um homem em busca da felicidade devida se for seu amigo, e será canalha se você for amiga da esposa abandonada ou irmã dela. Chega a ser ridícula a forma como se muda de opinião sobre uma mulher ser uma vagabunda ou um cara ser um canalha a depender dos ventos. Protágoras ficaria enrubescido de tanta vergonha. Sairia correndo, gritando: "Pelo amor de Deus, chamem o Platão! Precisamos achar um critério 'mais' objetivo nesse caso!".

É muito difícil ter uma opinião "objetiva" sobre isso porque muitas vezes a inveja move o coração de quem julga numa situação dessas. Já os medievais diziam que o amor causa inveja em quem vê mas nunca experimentou. Grande parte das pessoas aposta no medo acomodativo dos desejos como parceiro na vida. A simples visão de que alguém não teme o sofrimento porque realiza o sonho do amor enraivece as almas que amam rotinas de infelicidade. Somos um animal de rotinas, independentemente de estas serem de glória ou humilhação. Erra quem pensa que a humanidade ama a liberdade, a ousadia, a busca. A humanidade, na maior parte do tempo, ama a falta de opção que acomoda o sono.

E não se engane: os mais jovens são os mais caretas. Não se deixem levar pelos papinhos de diversidade sexual ou de pegação ou poliamor. Se um dia humanos e cachorros puderem casar entre si, seus filhos serão caretas do mesmo jeito que são quanto à separação dos pais. Um dia, o mundo contemporâneo terá que se ver com tanta mentira sobre a vida dos afetos que foram inventadas desde os anos 1960 para cá.

E como saber isso quando você é o objeto da dúvida? Isto é: como saber se você é um canalha ou se você é uma vagabunda? Não ouça as feministas aqui, porque em matéria de amor e sexo elas entendem menos do que seminaristas virgens que tremem de desejo diante de um chicote. Lidar com as opiniões relativas dos outros "é fácil" – melhor aceitar que a maioria vai considerar você um canalha ou uma vagabunda. E como proceder quando você se olhar no espelho sozinho ou sozinha e se perguntar se você é um canalha ou uma vagabunda? Você ouvirá as vozes de muitas pessoas gritando: "Vagabunda!", "Canalha!".

A primeira reação será pensar num enredo em que você tem o direito de ser feliz. E isso é sério. Às vezes, pensamentos como esses são a única coisa que salva você do desespero da culpa.

A menos que você tenha a "sorte" de estar saindo de uma relação com Jack, o estripador, a maior chance é que tenha medo de se achar um canalha ou uma vagabunda. O desejo de ser bom pode ser uma tortura. Talvez a melhor solução seja, simplesmente, desistir de ser uma "pessoa boa". Às vezes, a bondade pode ser uma forma de abuso. Desista da pergunta.

CAPÍTULO 16

O beijo do diabo

No filme *Fim dos dias*, com Arnold Schwarzenegger (1999), o diabo interpretado pelo ator Gabriel Byrne é o melhor diabo do cinema, de uma crueldade estilizada perfeita ao gosto pós-moderno niilista light.

Na sua entrada em cena, toma o corpo do então personagem interpretado por Byrne, que estava num jantar de negócios com seu sócio e a esposa dele. Byrne levanta e vai ao toalete. Lá seu corpo é tomado pelo diabo. Quando sai do banheiro, já é o diabo que Byrne interpreta.

Antes de irmos ao "beijo do diabo" em questão, vamos dar um passo atrás. A cena anterior à ida ao toalete para "virar o diabo" mostra seu sócio como um tipo apagado, um daqueles típicos homens arruinados pela vida real, malvestido e inseguro, mas que cumpre, a duras penas, o que considera ser o papel de um "homem bom": dar uma vida segura a sua mulher e filhos. Um daqueles sujeitos que não conseguem ter uma ereção porque preferem de fato ver uma série na TV. Esse tipo de homem povoa o mundo como uma manada de arruinados pela suposta vida honesta. Já sua esposa, bem-comportada, mostra sinais de uma certa inquietação com o estado das coisas em sua vida no que se refere aos afetos. A ideia de que contratos de infelicidade compartilhada podem falhar por causa da mulher (Eva devia ser uma entediada com o paraíso) é um clássico. A literatura e o cinema mostram isso com frequência. Se nos últimos tempos tem mostrado menos é porque a censura do politicamente correto feminista dominou Hollywood e nos transformou em acéfalos.

Sua esposa é aquele tipo de mulher que você percebe que se entregará ao primeiro canalha que a tratar "mal". A pergunta que atormenta homens que optam por uma vida kantiana é: será que minha mulher é uma nietzschiana de bolso reprimida? O imaginário popular, mesmo que as mentiras feministas digam o contrário, abomina o homem "fraco". A ideia de que um homem desses pode perder a esposa (e se a chamar de "minha esposa" então... nada mais brega e acuado do que não chamar uma mulher de "minha mulher") para um homem mau é enorme. Pouco importa o que as feministas dizem (quase nunca importa mesmo): mulheres, quando podem, recusam homens acuados pela obrigação de ser bom. Ainda que queiram a reforma da casa, entediam-se com homens que se submetem plenamente ao seu tédio e ao seu império.

Voltemos à cena. O diabo-Byrne sai do toalete, aproxima-se da mesa onde estava sentado com o casal kantiano, toma a mulher nos braços e a beija violentamente. O humilhado marido ensaia uma reação, mas, diante do olhar poderoso do diabo e da atitude completamente entregue de sua mulher, ele recua. Eis sua marca: um homem covarde que recua em nome da vida segura. Somos todos assim. Até, talvez, o dia em que desistimos de ser bons. O bem pode ser uma das maiores formas de abuso na vida de alguém, seja homem, seja mulher. O diabo a beija, passa a mão em seus seios, ela geme de prazer. Depois ele se afasta e vai embora. Ela se compõe e o casal continua a jantar...

Muitas vezes, o homem deve se perguntar: em qual papel nessa cena eu me encontro? A vida, nos seus protocolos de manutenção, pede a cada homem que seja um acuado pelo bem. Um dos maiores dramas masculinos, pelo qual muitas mulheres inocentes pagam, é a insegurança nascida da opção por ser acuado pelo bem. Não duvido que muitas mulheres se sintam acuadas pelo bem. No caso do homem entediado, a pergunta seria: quem seria a diaba desse homem? A novinha...

"NARCISISTAS, MIMADOS E RESSENTIDOS NÃO SÃO CAPAZES DE AMAR."

CAPÍTULO 17

Quando o amor faz você se reinventar ou se redescobrir

Platão, em seu famoso diálogo *O banquete*, descreve Eros, sua figura mítica representante do amor, como sendo um filho híbrido de um pai deus, Poros (abundância), e uma mãe mortal, Penia (carência). Essa origem de Eros no diálogo serve à intenção do autor de provar que só um ser como esse pode sofrer com a carência humana ao mesmo tempo que pressente a abundância divina em si mesmo, e, por isso, busca o mundo pleno das ideias transcendentes. Um deus não faria isso porque o movimento nessa direção inexistiria, uma vez que ele já habitaria esse mundo, e um mero mortal "puro" afundaria na carência já que não teria em si a semente do divino pleno. Esse Eros seria o que move o filósofo, aquele que ama o mundo pleno das ideias eternas e perfeitas. *O banquete* é um diálogo que fala do amor ao conhecimento, a base da mística platônica. Não se trata de amor romântico, claro. Mas o que ele nos ensina sobre a natureza do amor enquanto tal que estaria presente também no amor romântico?

A ideia de Platão é que o amor (Eros) gera beleza, forma, vitalidade. A experiência do amor, além de sofrimento e dilaceramento, seguramente gera um desejo pelo mundo enquanto realidade a ser fecundada por aqueles que amam. Por isso, é comum se dizer que o amor é da ordem da saúde psíquica na medida em que predispõe a pessoa a investir na vida. O amor costuma dar fé e confiança e, quando correspondido, gera uma profunda sensação de força e generosidade. Se não for ferido pelo mundo a sua volta, o amor leva seus amantes a regenerá-lo, tornando-o mais belo.

Pessoas narcisistas ou autocentradas têm dificuldade de investir no mundo, por isso amam com menos capacidade. O mundo contemporâneo, que tende ao narcisismo como forma de cidadania, levará o amor à extinção com certeza. Na chave platônica, o mundo contemporâneo afunda na carência à medida que as pessoas cada vez mais gravitam ao redor do seu "próprio eu".

Já os medievais relacionavam o amor à capacidade de se doar sem pensar em receber nada em troca. Como uma forma de força, às vezes avassaladora, que é impossível não ser notada quando se revela ao mundo. O encantamento que o amor (Eros) causaria é justamente a sua força de sedução, na medida em que sentimos que os amantes são pessoas mais fortes e capazes de enfrentar dramas cotidianos sem perder a confiança nas coisas.

Mas um dos efeitos mais regeneradores do amor é a capacidade dele de restituir o amor-próprio e a autoconfiança. Pessoas que se apaixonam e são correspondidas nessa paixão tendem a ter mais força para tomar decisões difíceis e, acima de tudo, se veem de forma mais criativa e ousada. Muitos dirão que esse traço é fruto da dimensão maníaca do amor romântico (no sentido psiquiátrico de mania), e que é em si uma forma de risco porque o amante tende a perder um tanto o senso de realidade. Pessoas céticas não creem no amor, justamente por ele poder diminuir sua capacidade de análise do mundo a sua volta. A suspeita de ele ser um enlouquecimento que danifica nossa capacidade cognitiva é antiga como a filosofia grega. Mas não resta dúvida de que uma pessoa que ama se sente mais forte para se arriscar e sair da banalidade da vida cotidiana.

Uma das saídas dessa banalidade é a possibilidade que um novo amor pode dar a alguém de se redescobrir uma outra pessoa: outra personalidade, normalmente mais aberta e corajosa; outros hábitos, que normalmente inauguram uma sensação de habitar outro mundo até então desconhecido e acima de tudo improvável; outras necessidades, muitas vezes menos materiais e mais desapegadas de neuroses de consumo; outros gostos, muitas vezes fruto apenas do ato de se arriscar a provar coisas há muito estabelecidas pelo seu cotidiano como fora de seu espectro de sensações; outros limites para a vida, justamente porque o amor faz você se sentir mais ousado com relação à vida que teve até então.

Reside aí o maior risco: na mesma medida em que o amor proporciona essa força para ousar contra uma vida medíocre (sempre mais segura), ele leva os amantes a se afastar dos modos comuns de viver, e, por isso mesmo, mais seguros (e medíocres). A ambivalência é clara: regenera a vida e a põe em risco com relação à ordem do mundo. A mesma ambivalência que vimos em relação à ética: transgredir uma vida kantiana em nome de uma vida nietzschiana é um padrão do amor em ação. Pessoas medíocres e regradas tendem a ser mais longevas. O amor, como sempre se soube, mata. Mas a vida mais breve que se tem ao lado dele pode valer por mil anos longe dele. Será? A última afirmação é claramente romântica e, por isso mesmo, mal adaptada ao mundo regrado que nos cerca. A maioria optaria por uma vida limpinha e sem sensações mais fortes.

Num mundo dominado pelo álcool gel como paradigma de vida segura, o amor é uma das maiores forças de rompimento com o medo. E, como toda pessoa que tem menos medo, a chance de morrer mais cedo é maior. Pode existir *safe sex*, mas não existe *safe love*.

CAPÍTULO 18

Amor é para imaturos?

Uma suspeita comum é que só imaturos amam (ou jovens ou ingênuos). Sei que essa tese, bem contemporânea e frequente em círculos de pessoas mais "maduras", é distante de uma outra ideia que é exatamente o contrário desta: só gente mais madura, com mais estofo psicológico, é capaz de amar porque o amor exige confiança no outro, autoconfiança, generosidade, coragem, enfim, virtudes normalmente associadas a pessoas mais maduras e seguras. Contra a tese de que só gente imatura ama, temos a própria concepção medieval de amor, segundo a qual amar é uma maldição bela, atormentada e exigente. Sim, os medievais aconselhavam que fugíssemos do amor porque ele lança os amantes contra as obrigações normativas da sociedade. Mas em lugar nenhum eles afirmam que o amor é coisa de gente imatura. Pelo contrário, o amor exige uma enorme capacidade de resistência ao sofrimento e às pressões de um mundo protocolar colado à economia da infelicidade morna como base da vida social.

Mas de onde os contemporâneos tiraram a ideia de que amor é para imaturos e ingênuos? Provavelmente, dos livros do período romântico moderno, como *Sofrimentos do jovem Werther*, de Goethe, e seus arroubos irreais, que idealizavam sua amada Charlotte para além da realidade de qualquer mulher. De lá para cá, tornou-se quase uma platitude dizer que amor romântico é para iniciantes. Só para gente sem compromisso, sem tutano, sem responsabilidade, ou simplesmente jovem e, por isso mesmo, habilitada a ser ingênua como estado de espírito permitido pela norma social. A "psicologia" por trás dessa teoria é que pessoas maduras sabem da insustentabilidade do amor e de seu caráter efêmero e idealizado. A pessoa por quem nos apaixonamos surge diante de nossos olhos como alguém acima de suas qualidades.

Outra possível causa para essa ideia do amor apenas para imaturos é, provavelmente, o fato de que o amor causa muitas frustrações e sofrimentos. O cinismo para com o amor é uma proteção dos incapazes de amar, diria Nelson Rodrigues. Afirmar que seria uma coisa para iniciantes funciona como uma boa forma de defesa contra o fracasso afetivo. Numa sociedade como a nossa, decidida a morrer por acúmulo de métodos de segurança e higiene, a afirmação de que o amor é para imaturos protege claramente os infelizes que desistiram ou nunca tiveram a chance ou a coragem de amar. A inveja do amor correspondido, mesmo que destruído pelo mundo, sempre foi objeto de reflexão pela fortuna crítica que trata da teoria medieval do amor. Ainda hoje essa inveja gera produtos.

Além disso, a noção medieval de que o amor seja uma doença que afeta a cognição e a moral passa a ser compreendida pelos contemporâneos cínicos e frustrados como uma forma fofa de retardamento mental. De um jovem, e, por isso mesmo, perdoável, considerando que ele não entende nada da vida real, ainda. O problema é que os medievais entendiam essa doença da alma como uma espécie de aguçamento dos sentidos e do pensamento por causa do objeto amado, e não como uma doença da alma que tornava o amante um idiota sobre a vida. A não percepção do perigo era a ausência de medo por desespero de estar com a amada, ou coragem de arriscar tudo para estar com ela, e não qualquer falta de percepção dos riscos devido a uma reduzida habilidade mental causada pela doença do amor. Além do fato de que a proibição do amor gerava uma ampliação das sensações causadas pelo próprio amor. Por isso, se transportarmos essa angústia medieval para o mundo contemporâneo, os amantes seriam hoje pessoas com mais idade e mais responsabilidades, pessoas que teriam a exata noção da violência que seria se entregar a uma experiência como essa que tende a romper com formas protocolares.

Portanto, a ideia de que o amor seja para imaturos é uma confissão velada de tristeza causada pela perda do amor, ou de uma vida ressecada pela falta de amor. Nunca mais diga isso por aí, porque, além de desnudar seu cinismo a serviço da vergonha, pode revelar sua tristeza.

CAPÍTULO 19

O amor tem cura?

Se o amor é uma doença, teria cura? Ou seria uma doença terminal? Alguns mais céticos diriam que a maior cura para o amor seria deixar que ele se realize. Apesar do caráter um tanto cínico da afirmação, não podemos descartá-la facilmente. Os próprios medievais alertavam para o fato de que a perda do mistério através do cotidiano e de muita conversa com a amada poderia destruir o amor. Portanto, o casamento com quem você ama pode ser a rota para a cura do amor. Muitos dirão que o amor (Eros) se transformará em Ágape, como disse Bento XVI em sua encíclica "Deus é Amor", nos filhos, nas memórias, no cuidado um com o outro

– e ninguém seja cínico com esse tesouro que é um longo relacionamento permeado de confiança e cuidado.

Mas existem outras formas de cura do amor que estão mais próximas da afirmação de que paixões tristes, como diria Spinoza, destruiriam facilmente o amor. Além da monotonia do cotidiano e do desencanto com uma personalidade menos maravilhosa do que a paixão pensava ter diante de si, a indiferença, a competitividade, a violência, o descaso, o interesse descaradamente estratégico, a mentira contínua, a pobreza material extrema, o ódio entre as famílias, os conflitos de objetivos na vida, os sonhos excludentes, ter ou não ter filhos, o egoísmo, o materialismo, as doenças graves, um outro amor...

Interessante notar que quase todas as "causas" de cura do amor são, na verdade, paixões tristes. Isso nos diz que "curar" o amor é, na verdade, muitas vezes, matar a beleza. É a vitória de uma paixão triste sobre uma paixão alegre. É uma experiência a favor do niilismo e da descrença nas coisas.

Mas existem casos em que o amor em si é uma paixão triste, e aí sua dimensão mais claramente patológica se revela. O amor pode se transformar numa paixão triste quando se transforma numa forma de obsessão. Mas o mais interessante desse processo, para além da óbvia mania, é como esse tipo de amor tende a retirar você do mundo em vez de dar vontade de ir ao mundo "comunicar" seu amor. Bento XVI não está errado em sua encíclica (sem querer soar demasiadamente arrogante por dizer que ele "não está errado") quando diz que o amor como Eros deságua em amor como Ágape, se entendermos como Ágape o gosto por partilhar com outras pessoas a generosidade e a beleza que o amor pode estimular, e não apenas a geração de filhos. É da natureza de uma paixão alegre ser abundante – Platão concordaria com essa ideia facilmente – e se doar de alguma forma, pela própria força que sente jorrar de si quando o amor é correspondido. Erra quem pensa que o destino de todo amor é ficar preso num quarto escondido. Pelo contrário, a dor do amor proibido é exatamente esta: o desejo de dar ao mundo a prova desse amor e a condenação desse mesmo amor.

Mas sem dúvida o amor pode se transformar numa melancolia amorosa, quando, depois de ser correspondido, é violentamente interrompido, seja lá por qual motivo. Porém, se esse motivo for um impedimento que não desfaz a correspondência do amor em si, portanto, não desfaz sua beleza como experiência de conexão com a amada ou o amado, quem sabe, a cura pode ser mesmo a morte dos amantes por tristeza. E, nesse caso, ele terá sido uma doença terminal. Afinal, haveria alguém hoje capaz de morrer de amor? É raro, mas o amor também é coisa rara.

CAPÍTULO 20

As condições materiais do amor

O que é necessário para que o amor sobreviva? Dinheiro é essencial? Os homens, em geral, temem que sim: se não tiver dinheiro, não come ninguém e não "sustenta" o amor de ninguém. Sei que hoje em dia está na moda a mentira intelectual em matéria de afetos, entre outros assuntos. Mas a verdade é que, para além dos medos masculinos com relação ao amor "interesseiro" das mulheres, existe um limite material para o amor respirar, sim. Sinto muito. Essas condições são segurança, generosidade material, investimento concreto um na vida do outro, desejo sexual ativo na mulher, potência sexual masculina. Amor é concreto como uma pedra.

Não é abstrato como uma ideia metafísica. O confuso da situação é que, em sendo um afeto, sua manifestação primeira pode ser, e tende a ser, abstrata no sentido da imaginação, fantasias, projetos a serem realizados e tendências a ver o objeto de amor "melhor" do que ele realmente é.

Mas para que esse mesmo amor imaginado se realize, a experiência concreta deve entrar em ação, assim como rotinas em que o afeto se sustente para se repetir em sua realidade e se reproduzir em vínculos com outras dimensões da vida dos amantes, por exemplo, vibrar com realizações profissionais um do outro, cuidar em momentos de fraqueza, alimentar em momentos de fome, beijar após pesadelos, dar banho, medicar, gozar na boca um do outro e, melhor ainda, engolir esse gozo e pedir mais. A intimidade sexual é uma das rotinas mais poderosas para a manutenção do amor. Não existe amor platônico, a não ser em pessoas doentes de alguma forma, pois o amor pede carne. É carnívoro como um predador pré-histórico. O amor gosta de se melar na fisiologia de quem ama. Na filosofia, ele pertence ao universo de tudo que é empírico, nunca do que é metafísico. Pede toque. Uma mulher amada morre quando é tratada como santa. Seu ambiente natural são o pecado e a posse. A separação entre amor e sexo é para ignorantes.

Portanto, para além das condições materiais óbvias, como dinheiro, casa, férias, jantares, joias, o amor só floresce ali onde ele se suja com o gosto do sexo na boca de quem ama.

"UMA DAS MAIORES MENTIRAS DE NOSSA ÉPOCA É O SUPOSTO AMOR PELO DIFERENTE."

CAPÍTULO 21

O amor pelo diferente que faz diferença: a condição heterossexual

Em nossa época fala-se muito do amor homossexual. A pergunta mais interessante hoje, depois de tanta literatura produzida sobre gênero e construção social dos afetos, é: o que há de específico na condição heterossexual, além de sua óbvia presença majoritária na espécie?

Os medievais diziam que amor verdadeiro só existe entre pessoas de sexo diferente. Para além do blá-blá-blá de acusar os medievais de homofobia e similares, é evidente que o amor existe entre pessoas do mesmo sexo. O amor romântico é uma doença universal. Mas esse não é nosso tópico aqui. A pergunta é: o que haveria de essencial num vínculo com uma pessoa de sexo diferente?

Para os medievais essa diferença se concentrava (claro, para além do óbvio preconceito) no fato de que amar uma pessoa diferente implicava um mistério maior e intransponível. O centro do amor para eles era essa atração pelo mistério encantador da pessoa desejada. Amar o outro sexo é uma "pequena" experiência transcendente: amar o que não sou eu radicalmente, perder-se em suas incognoscibilidades; em minhas incapacidades cognitivas de entender esse outro de mim, desejar algo que nunca será igual a mim e, assim, desejar algo que oferece resistência ao narcisismo típico da experiência amorosa. Para a psicanálise, o amor romântico é uma projeção que fazemos sobre alguém dos núcleos neuróticos resultantes do romance familiar edípico. De certa forma, no caso do amor heterossexual, faz parte dessa projeção neurótica o desejo pelo irredutível à minha própria imagem e corpo, logo, transcende a tendência narcísica à inércia de desejar a si mesmo o tempo todo. Poderíamos até fazer uma analogia com a riqueza genética presente no modo de reprodução cruzado que caracteriza a espécie humana e a maioria das espécies mais complexas. Nesse caso, o amor pelo mesmo sexo estaria para a reprodução por partenogênese, assim como o amor pelo outro sexo estaria para a reprodução cruzada. Claro que isso não passa de uma metáfora para reforçar a ideia da transcendência do eu presente na condição heterossexual.

E se pensarmos na tendência narcísica contemporânea, podemos mesmo imaginar que o amor heterossexual pode entrar em decadência num cenário de narcisismo crescente e demonização do homem pela mulher, e vice-versa. O cansaço de desejar o diferente pode levar a espécie a um patamar de baixíssima reprodução, o que já se vê devido ao avanço do secularismo e do desinteresse por ter filhos, tanto por parte das mulheres como pela dos homens. Ao lado do discurso *fake* sobre a ética do "amor ao outro" como ideia abstrata, fenece a verdadeira experiência de amor concreto ao outro. A "vantagem" do amor homossexual é que ele é absolutamente seguro quanto a vínculos indesejavelmente sólidos como filhos.

O núcleo de mistério presente no desejo pelo outro sexo, tão importante para a literatura medieval, pode ser ultrapassado por formas mais *safe* de gozar sem ter que ligar para a pessoa no mês seguinte ou arcar com uma "barriga".

A riqueza do amor heterossexual é sua própria transcendência, essa experiência atávica de amar o que não é você.

CAPÍTULO 22

Por que os homens estão desistindo do amor?

Algumas pesquisas, principalmente no universo norte-americano, indicam o que alguns psicólogos comportamentais têm chamado de *men on strike* (homens em greve). Esse fenômeno se caracteriza por ser um fruto da emancipação feminina em seu viés mais negativo. Muitos homens entre 25 e 45 anos pensam que investir numa mulher pode ser um péssimo negócio, graças à demonização dos homens pelo feminismo. Na medida em que a cultura contemporânea tirou dos homens a maior parte dos "privilégios sexistas", mas manteve, em grande parte, as "vantagens femininas", homens seriam egoístas, insensíveis, cruéis, machistas, e por aí vai. Não precisamos repetir o óbvio dessa crítica ao homem nas últimas décadas.

O que se caracteriza como a desistência do amor por parte desses homens heterossexuais seria o fato mesmo de que a maior parte das mulheres é vista por eles como agente de muita demanda e cobrança em troca de baixíssimo investimento neles. Na base dessa "greve" estaria o ressentimento de muitos homens com a emancipação feminina e toda a insegurança que ela trouxe para os vínculos tradicionais.

Esses homens pensam que o sexo hoje é fácil e engravidar mulheres é para iniciantes. A emancipação feminina tornou o amor, do ponto de vista desses homens, excessivamente caro e inseguro, e, por outro lado, tornou o sexo bastante barato e seguro. Se antes um homem deveria garantir a sua amada uma vida de investimento financeiro e afetivo, hoje essas potenciais amadas não somente são rancorosas (do ponto de vista desses homens) e avessas à personalidade masculina, considerada idiota, incapaz e egoísta, como são disponíveis para o sexo rápido e leve. A "greve" masculina nada mais é do que a apropriação por parte desses homens do comportamento narcísico como desdobramento da desconstrução das relações tradicionais entre homens e mulheres. Uma espécie de "liberação do narcisismo" que goza com a emancipação e solidão das mulheres.

No horizonte, nada existe que aponte para uma transformação desse quadro de "desistência" do amor por parte dos homens mais jovens – nem por parte das mulheres mais jovens. Como consumidores empoderados de tudo que ambos são, o futuro aponta para uma população chata, arrogante e solitária, de ambos os sexos.

CAPÍTULO 23

Civilização e infelicidade, duas irmãs que andam de mãos dadas

Freud já havia dito no seu seminal *O mal-estar na civilização* que a vida em sociedade implicava um alto grau de repressão sexual. Essa repressão, como sempre em Freud, não deve ser nunca compreendida como sendo uma mera "proibição" de fazer sexo, mas, sim, num sentido mais amplo e profundo, como uma repressão do desejo entendido enquanto motor da vida psíquica. O mal-estar na civilização identificado por Freud seria a repressão da libido a serviço da humanização do animal *sapiens*. Limitar o desejo seria o modo que a espécie encontrou ao longo da sua evolução para viver de forma social minimamente harmônica. Esse mal-estar difundido, quase como uma espécie de "banalidade do mal-estar", fazendo uma analogia com a banalidade do mal de Hannah Arendt, poderia nos levar a uma sociedade mais ou menos civilizada, à custa de um mal-estar de fundo sem cura – do "outro lado" desse mal-estar não estaria uma humanidade feliz, mas uma humanidade destroçada por uma condição animal insuficiente e violenta.

Partindo daí, podemos supor que a infelicidade (como sinônimo desse mal-estar) seja uma parceira necessária da vida civilizada. Uma vida organizada, higiênica, previsível e contida (aquela que todo mundo quer, apesar de os comerciais estarem cheios de montanhas e cachoeiras) seria a meta final da vida civilizada. Seja pelas mãos da instrumentalização capitalista e seu consumo para idiotas felizes e chiques, seja pelas mãos de um socialismo em que todo mundo é legal e tolerante, seja pela mão da piedade religiosa, a infelicidade, compreendida como resultado da limitação dos desejos que desestabilizam o ordenamento social e psíquico, é essencial para a vida bem-sucedida em sociedade.

Os protocolos dos afetos são exatamente o modo como essa infelicidade se organiza. À medida que a civilização avança, fazendo de nós todos cidadãos bem-intencionados, o mercado para a venda da felicidade aumenta justamente porque a carência de desejo se impõe: só pessoas sem desejo são "boas". Uma das marcas dessa infelicidade como cimento da civilização é a submissão do desejo à ordem moral, agora, de um bem mais hipócrita do que nunca. Todos continuam desejando avós que vivam juntos até o fim da vida, apesar de brincarem de liberais nas festas da Califórnia e de São Paulo. Se a hipocrisia sempre foi a substância da moral pública, hoje ela é ainda mais do que nunca essa substância, sempre travestida de "bem". Nunca a riqueza instalada produziu indivíduos tão retardados em termos de vida afetiva, incapazes de sofrer uma hora sequer sem encontrar uma desculpa para amar a si mesmos acima de tudo.

Num cenário como este, de infelicidade como condição silenciosa necessária para uma vida feliz (ainda que pareça contraditório), o amor, com sua instabilidade essencial e seus excessos idealizados de realização, só poderá existir mesmo como produto do mercado de afetos. Vendido como acessório de um restaurante escondido ou de uma *maison de charme*, o amor romântico torna-se um sabor a mais num *menu dégustation*, sem gerar nenhum risco. Mais do que nunca preso ao dinheiro, o amor romântico como produto "sob medida", nesse cenário, torna realidade todos os pesadelos em que o amor está, sim, à venda e acessível a todos e a crédito.

CAPÍTULO 24

O que é não sentir nada?

Um dos maiores desgostos que o amor pode causar é a desilusão. E um dos modos mais sofisticados de reagir a ele é a busca de uma espécie de estado zen no qual você não sentirá nada mais por ninguém, escapará de qualquer envolvimento maior, nada investirá em vínculos afetivos e buscará cuidar de si mesmo acima de tudo, atento para não correr risco de sofrer mais ainda.

Na filosofia são muitos os casos de defesa de um estado como esse, afora várias formas de espiritualidade como o budismo, o hinduísmo e o cristianismo. Nessas três religiões encontramos autores que defendem uma certa "indiferença" (o zen citado antes é um caso) para com o mundo e a vida dos afetos, a fim de chegarmos a uma tranquilidade da alma ou da vida psíquica, como diríamos hoje.

Na filosofia, o termo é *apatheia*, ou ataraxia. Céticos antigos, estoicos gregos e romanos, epicuristas, defenderam uma redução do desejo e das paixões (a filosofia, até Spinoza no século XVII, costumava temer as paixões ou o pecado como signos de perdição, engano, autoengano e frustrações) como formas de evitar o sofrimento e desilusão com os afetos ou as paixões. Atingir a *apatheia* (lembremos que o verbo grego *pathein* é sofrer) era o resultado de um esforço contínuo para se afastar do engodo do mundo. O filósofo que aí chegasse, por meio de trabalho intelectual cético de desconstrução de toda e qualquer afirmação sobre o mundo, e da crítica irônica da falsa moral do mundo, seria um sábio.

Com o advento do Romantismo, no século XVIII, essa atitude mudou na filosofia. As paixões e sentimentos passaram a assumir o lugar de centro autêntico da vida psicológica ou espiritual. Por isso, a ideia de "nada sentir" nos parece absolutamente patológica. Uma forma de depressão do afeto que torna você incapaz de se relacionar com a vida e com as pessoas. Para os antigos, a *apatheia* não implica não relação com o mundo e com as pessoas, mas em ausência de expectativas e inquietações para com o que o mundo te daria em troca. Essa "*autarcheia* estoica", como se dizia (autonomia estoica), garantia uma vida sem arroubos e suas ilusões decorrentes.

Hoje, essa *autarcheia* facilmente se confundiria com ser um narcisista autocentrado; e mais, com ser uma pessoa sem vida interior saudável, uma espécie de morto-vivo com medo da vida real. Não resta dúvida de que para nós, contemporâneos, independentemente dos excessos de narcisismos, o Romantismo deixou sua marca indelével (inclusive porque a própria psicologia profunda e seu inconsciente são filhos do Romantismo): vemos como signo de doença psicológica a incapacidade ou a "decisão" de romper com a vida das expectativas afetivas. Mas, ainda assim, muitas pessoas que sofreram graves danos afetivos por conta de um amor desastroso podem optar por evitar envolvimento amoroso em nome de uma vida mais pacífica e distante das agonias do amor – e, quem sabe, com razão. A rigor, para quem conhece minimamente a vida do amor, não se pode simplesmente negar que exista alguma consistência numa decisão como essa, apesar de não se poder afastar facilmente de tal decisão a suspeita de alguma redução da experiência humana como um todo quando se "opta" por uma vida sem amor.

"Não sentir nada" pode ser, sim, uma escolha sábia num dado momento da vida mais madura, ou pode ser apenas um medo avassalador da vida enquanto tal. Infelizmente não há fórmulas. Se você for muito jovem, provavelmente é o segundo caso. Se você já viveu e sofreu, pode ser o primeiro caso. Nas duas situações deve-se levar em conta que o amor não é alguma coisa com a qual se brinca, porque ele é, quase sempre, disruptivo da ordem afetiva, familiar e social. A maturidade não levará você a optar por nada sentir na vida, mas, no mínimo, pode levar você a sentir algum respeito para com o amor e mantê-lo à distância, e saber o sofrimento que ele pode, sim, causar. Só não teme o amor quem nunca o experimentou, ainda que essa reverência possa, sim, fazer você se sentir um tanto covarde. Mas a covardia pode ser, às vezes, um modo de sobrevivência muito comum e seguro.

"AMAR SERÁ SEMPRE UMA FORMA DE AGONIA."

CAPÍTULO 25

É possível confiar numa mulher? A política cura essa insegurança masculina atávica?

Muitos falam que os homens são incapazes de confiar nas mulheres, principalmente quando amam. Shakespeare imortalizou essa incapacidade em sua peça *Otelo*, Machado de Assis, em seu romance *Dom Casmurro*, o darwinismo, em sua teoria de que a insegurança com relação à paternidade levaria os homens atavicamente a cobrar níveis de certeza de fidelidade da mulher amada cada vez maiores à medida que o investimento afetivo nessa mulher aumentasse.

A crítica feminista e política das últimas décadas tem afirmado que tal insegurança masculina é uma das famosas questões de gênero. Uma questão de gênero seria aquela nascida da construção social de diferenças entre os "sexos", diferenças essas a serviço da lógica da opressão sobre as formas de comportamento sexual não identificadas como masculina heterossexual. O objetivo dessa crítica, entre outras coisas, seria eliminar essas formas de opressão. Uma vez feita a crítica, os homens superariam, entre outras coisas, essa atávica insegurança para com a fidelidade feminina. Insegurança essa, na verdade, uma desculpa esfarrapada para esconder seu medo da própria impotência e da sexualidade feminina livre. Enfim, um modo de controle disfarçado de desconfiança para com um caráter essencialmente "oblíquo e com olhos de ressaca", sinônimo de mentira e deslealdade da personagem feminina arquetípica Capitu, nas palavras do personagem e narrador Bentinho da tragédia *Dom Casmurro* (Bentinho é o próprio Dom Casmurro do título).

Não duvido da relação entre tal insegurança e formas de controle que evitem pôr à prova essa mesma insegurança (causada por crises de impotência sexual e psicológica), mas tendo a crer que remédios contra a impotência masculina tenham mais sucesso na lida com essa insegurança do que a militância feminista e política. Militâncias nessa área são mais bem-sucedidas em acirrar tal insegurança do que aliviá-la, transformando-a em ressentimento, desencanto e desistência de investimento afetivo na mulher por parte do homem (não que essa desistência de investimento tenha nessa insegurança "maltratada" sua única causa).

Creio ser essa insegurança uma das tragédias associadas ao amor e, infelizmente, muito perto de ser incurável, ainda que não inevitável em si mesma. Os discursos sobre confiança entre dois amantes não é coisa com que algum livro de autoajuda possa ajudar muito. A fragilidade se encontra no âmago da experiência amorosa, uma vez que esta desconstrói esquemas de defesa afetiva, como bem nos diz a teoria narcísica do amor na psicanálise: o amor romântico nada mais seria do que projeções atávicas da infância primitiva relativas ao rompimento da célula narcísica, catástrofe essa que dá nascimento ao "eu" tal como conhecemos. Nascemos para a vida individual perdendo um "sentimento oceânico" que traz em seu lugar o devastador sentimento de dependência dos objetos de amor que teremos ao longo da vida. A insegurança masculina seria maior do que a feminina apenas porque a ilusão de onipotência masculina (ainda no terreno da teoria freudiana) é sempre maior.

Freud e Darwin aqui podem se dar as mãos, explicando melhor do que políticas militantes de gênero a razão de tamanha associação entre amor e insegurança masculina (mas não só a ela). A fragilidade e dependência que o amor romântico causa em suas vítimas implicam sempre processos de desnudamento de angústias que habitam o coração das trevas de nossa vida afetiva e de enfrentamento dessas mesmas angústias. Não por acaso, a palavra "afeto" na sua origem latina é raiz tanto do afeto em si como da palavra "afecção" em português, como em afecção cardíaca. A insegurança para com a fidelidade no amor romântico nada mais é do que um elemento essencial de quem depende de outra pessoa para se sentir completo. E como o amor tende a fazer exigências absolutas, essa "completude" idealizada será sempre humilhada pela realidade da vida e de nossas personalidades. Quando o significado da vida parece ser dependente desse afeto, o cenário para esse tipo de dor estará, inevitavelmente, montado. Afirmações sobre a evolução das novas gerações em relação a isso será verdade apenas quando os mais jovens desistirem, ou se tornarem incapazes, de amar, mesmo que mentiras como essas venham vestidas de termos como "poliamor". Amar será sempre uma forma de agonia.

CAPÍTULO 26

As ciências sociais do amor

Talvez um dos maiores efeitos das ciências sociais seja a destruição de muito da vida conhecida como vida humana. E um dos terrenos em que essa destruição mais se torna real é no terreno dos afetos. O sociólogo Norbert Elias (século XX) já dizia que as ciências sociais têm pouco uso, uma vez que, diferentemente das demais ciências, as sociais não nos ajudam a evitar guerras, violências raciais ou desgraças humanas de qualquer ordem.

É interessante perceber como as ciências sociais, pelo menos grande parte delas, parecem ter se dedicado a desconstruir o amor e a vida afetiva em geral, lendo-os sob a ótica das formas sociais, políticas e econômicas de opressão, os chamados, ironicamente, *opression studies*. Talvez o "conceito" mais poderoso nesse processo seja a associação entre amor romântico e propriedade privada. Ideias como essas circulavam já no século XIX em autores russos como Bakunin e Netchaiev: só gente que queria ser "dona" dos outros amaria. Revolucionários livres jamais teriam vínculos dessa ordem porque, além de não estarem presos a esquemas de dependência afetiva, desejavam libertar a todos de tudo, inclusive desses mesmos esquemas de dependência afetiva. De lá para cá, passando pelos anos 1960 ou pelo discurso poliamorista, nada mudou. A crítica da propriedade privada no âmbito do amor serve apenas a experiências de abuso e falta de responsabilidade uns pelos outros, e nada mais. Não é por acaso que funciona bem entre jovens iludidos por adultos que querem, na verdade, usufruir dos corpos desses mesmos jovens iludidos.

Talvez daqui a alguns anos consigamos entender de onde vem esse ódio que grande parte das ciências sociais parece nutrir em relação ao amor romântico e aos afetos em geral. Minha hipótese não científica é simples: a maior parte dos praticantes das ciências sociais apenas é de pessoas infelizes afetivamente, fracassadas na vida real, vida essa intratável pelas abstrações que costumam povoar a visão de mundo dessas mesmas ciências sociais. Afirmando trabalhar pela libertação da humanidade, as ciências sociais do amor, como quase sempre fazem os "libertadores", apenas tornam mais fácil que cientistas sociais ou seus estudantes possam "comer" alunos, alunas e colegas de forma mais fácil e livre. Uma forma de sexo fácil acompanhado de alguma metafísica podre filha da biopolítica degradada, tão típica do mundo que "matou Deus" e colocou no seu lugar formas bem mais primitivas conceitualmente do que o próprio Deus israelita.

Mesmo que seja verdade – o que não acredito – que o amor romântico seja apenas uma construção social a serviço do controle de uns sobre os outros, o fracasso definitivo de tal "teoria científica" é o fato de que o simples controle de uma pessoa sobre a outra jamais faria alguém amá-la – ou menos ainda se sentir amada. Como já dizia o filósofo francês Pascal no século XVII, saber as causas do amor não faria alguém sentir uma gota de amor sequer.

CAPÍTULO 27

Um remédio para você amar significa que você ama verdadeiramente?

Há algum tempo, uma aluna me perguntou se um remédio semelhante a antidepressivos, que produzem "felicidade", descobrisse a bioquímica do amor, não provaria definitivamente que o amor nada mais é do que mais um tipo de sopa neuronal.

Para além do eterno fetiche que é a ciência para nossa vibrante burguesia (afirmação do filósofo alemão Adorno no século XX), a ideia toca o ridículo. O caráter de fetiche aparece, antes de tudo, à medida que alguém acredita que porque a ciência "descobriu" a bioquímica cerebral do amor algo se "aprendeu" sobre o amor, no sentido de como vivê-lo, de como lidar com ele, de como se curar dele. A semelhança do ridículo da chamada neuroteologia para aqueles que veem nessa disciplina alguma esperança para sua miserável e frágil fé.

Uma suposta bioquímica cerebral do amor poderia, sim, produzir uma miserável sensação de que somos apenas uma "sopa de letrinhas", e que uma experiência avassaladora como o amor seria apenas mais uma "ilusão dos nervos", ainda que com nomes neurocientíficos. Uma descoberta de tal monta nos legaria alguma medicação que faria as pessoas amarem verdadeiramente e na dose certa? Se a pessoa que você ama, amasse você somente após 150 mg dessa medicação, você se sentiria amado verdadeiramente? Claro que não. O caráter imprevisível e incontrolável do amor é parte da sua "verdade", e só uma cultura que tem na ciência um fetiche de poder como a moderna pode, mesmo que ridiculamente, cogitar tal solução para os mistérios da experiência amorosa.

O que, sim, podemos nos perguntar é, afinal, por que uma mulher jovem e bonita como aquela pode imaginar que as neurociências um dia "descobririam" os segredos do amor? Creio ser fácil a resposta: ela está na frustração amorosa, mais do que nunca presente em nosso mundo, principalmente na vida de mulheres jovens tornadas fálicas pelos sucessos da emancipação feminina e pela solidão que todo sucesso traz, e para a qual nunca estamos preparados para viver.

CAPÍTULO 28

Amor como morte

É muito comum na literatura haver uma relação entre amor e morte. Como se o primeiro levasse à segunda de forma quase constante. Não é verdade. Na maioria dos casos, o amor normal leva ao casamento e à sua morte nos labirintos da construção material das condições de viver o próprio amor. Ou na construção das rotinas que não reproduzem os sonhos de amor. Ou na transformação da paixão enlouquecida nalguma forma de parceria carinhosa construída entre sintomas e projetos partilhados.

Mas o amor pode levar à morte, física ou psicológica, quando ele destrói tudo à sua volta devido ao seu alto teor de exigências afetivas. A idealização que normalmente o amor provoca facilmente leva suas vítimas a perdas cognitivas significativas. Confusão na hora de julgar fatos, insegurança na hora de avaliar valores.

O teor mais perigoso que o amor traz em si é a verdade de sua beleza quando comparada com o mundo à sua volta. O mundo comum é banal, "científico" em suas misérias, repetitivo em suas inviabilidades. A vida segue um curso organizado pela métrica do medo. Nada é mais forte no processo civilizador do que o medo como sistema de produção de afetos que se acomodam à nossa atávica insegurança pré-histórica. A beleza do amor e a sensação de abertura à liberdade de vivê-lo quase sempre leva suas vítimas à destruição porque, elas mesmas, ao longo do processo, não conseguem acompanhar as exigências de uma vida tão teoricamente bela que não cabe no corpo e na alma da realidade prática vivida. O medo que a beleza causa não cabe nos protocolos dos afetos que mantêm a vida sob controle. Os medievais já suspeitavam que poucos estão à altura das exigências do amor.

Essa incompatibilidade entre o tamanho da alma acomodada à vida comum e a beleza idealizada produz um outro sintoma que pode causar uma sensação de morte: o amor cansa por ter uma natureza absoluta. Nada diante dele faz sentido se não for a serviço dele. Esse traço da "personalidade amorosa" destrói todo o tecido da vida à sua volta, e pode dissolver vínculos sólidos e necessários. Nesse sentido, o amor pode ser nocivo como uma droga deliciosa que gera grandes sensações, mas que faz você perder o pé na realidade e, ao final, a própria autonomia. Considerar o amor uma doença da alma na sua forma mais passional não é poesia barata; é, talvez, uma das informações mais dolorosas para quem ama alguém e percebe que esse amor pode destruir a vida para além do próprio amor.

O amor pode levar à morte psicológica quando sentimos que ele é maior do que nós mesmos. A humilhação decorrente desse sentimento de derrota pode ser uma das maiores experiências de incapacidade que existe na vida, por isso, muitas vezes, a melhor sabedoria nesse assunto é optar por uma vida sem grandes paixões nem grandes sonhos. Sem nenhuma esperança de mudança, sem nenhum risco mortal de felicidade. Às vezes, é no quase silêncio do cotidiano que residem as formas mais sólidas de sanidade.

"ÀS VEZES, A BONDADE PODE SER UMA FORMA DE ABUSO."

CAPÍTULO 29

Amor entre pais e filhos

Afora o amor romântico, talvez o amor entre pais e filhos seja um dos mais cantados na história da humanidade. Para muitos, o único que existe, principalmente em se tratando do amor materno. Não me interessa aqui essa discussão chata sobre se existe ou não amor materno universal ou se isso é criação social. Evidente que componentes sociais estão presentes na vida das pessoas e das sociedades, e, por decorrência, nos afetos, apesar de o conceito de construção social ser hoje um fetiche semelhante ao que foi um dia "luta de classes", e, por isso mesmo, sofrer de uma enorme inflação na sua aplicabilidade.

Acredito que nem toda mãe ame seu filho, muito menos todo pai. Nem que todo filho ama seus pais. Nem que toda mulher é "obrigada" a querer ser mãe senão ela será uma mulher má. Vale dizer que todos esses reparos óbvios para deixar felizes os inteligentinhos que por acaso estejam lendo este livro, são cansativos. Aliás, ter que lidar com a maioria de idiotas que assola a humanidade, espalhada pelas redes sociais e pelo mundo, toma muito nosso tempo, não?

É muito possível que muita gente tenha filhos para que eles cuidem de você quando você envelhecer. Era comum isso no passado, hoje acabou; talvez ainda exista em regiões pobres do mundo. O que se percebe é que à medida que o mundo enriquece, o amor desaparece. Pessoas com poder aquisitivo razoável parecem preferir serviços a vínculos. Isso é bem pós-moderno, aliás. Optar por serviços em vez de vínculos não significa que a opção seja necessariamente sábia. Você pode acabar bem de vida, porém miserável afetivamente. Mas, pensa o cínico, a farmacologia só avança nos últimos anos! Num futuro próximo, essa miséria afetiva se tornará uma velha doença datada!

A escolha por serviços em detrimento de vínculos se dá pelo fato de que o mercado é monstruosamente mais eficaz do que afetos. Por isso, ainda mais num ambiente de poucos filhos, acreditar que seus filhos vão cuidar de você quando você envelhecer é uma ilusão sem tamanho. Principalmente se você tiver apenas um filho, como fica cada vez mais comum. E se for homem, então, esqueça. Se ele casar e a mulher dele for legal, você tem alguma chance; se ela não for – o que é mais provável à medida que as mulheres se emancipam – esqueça, o asilo (casa de repouso como chamam hoje) será seu destino. Aliás, as filhas sempre foram mais companheiras do que os filhos, mas mesmo estas, à medida que avançam em projetos profissionais e individuais, tornam-se egoístas como todo mundo liberado é. O egoísmo é a grande revolução moral do mundo moderno, ainda que mintam sobre isso, aliás, como sobre tudo o mais depois da Revolução Francesa. Os filhos não tomarão mais conta dos pais no futuro, por isso o mercado de ciências gerontológicas e de asilos cresce assustadoramente. Com a ampliação da longevidade, virá o aprofundamento da solidão "moralmente justificada": filhos cansam e custam caro, pais cansam e duram muito.

Mas, e o amor verdadeiro entre pais e filhos? Este se constitui na força motriz da formação de um ser humano. A força que o faz ser, basicamente, um existente, alguém que não precisa pedir permissão para respirar o resto da vida. Para além de bem e mal, como diria Nietzsche: o amor por um filho nada tem a ver com ser "do bem". O verdadeiro amor por um filho pode fazer você relativizar qualquer forma de pecado moral. A submissão desse amor à expectativa ética ou religiosa pode causar enormes estragos, como nos casos de calvinistas pirados nos Estados Unidos.

A falta desse amor para além de bem e mal implica o quase fracasso certo de grande parte da vida desse infeliz. Mas esse amor não significa altos índices de atenção e expectativas com relação a esse infeliz. Aliás, o amor pelos filhos hoje em dia pode ser uma das causas de infelicidade desses filhos infelizes, na medida em que esse amor é, na verdade, um irmão gêmeo do nível altíssimo de expectativas que cercam a formação psicológica dessa criança. Quanto mais amor por esse infeliz, mais cobrança. Mais fácil era quando se tinha 10 filhos e morriam 5: os que sobravam eram seguramente mais normais do que esses mimados infelizes cheios de ansiedade de nosso tempo. Não basta inglês, tem que falar mandarim. Não basta sucesso profissional, tem que ser bem-sucedido afetivamente e evoluído em nossas pequenas misérias atávicas.

Portanto, o sufocante amor pelos filhos únicos (verdadeiros projetos narcísicos) no mundo contemporâneo é provável que em breve seja identificado como uma das causas do sofrimento psicológico infantil. É justamente esse amor "absoluto" pelos filhos que os enche de ansiedade e depressão. A vida é mesmo absurda: quanto mais nos concentramos em nossos filhos, mais danos podemos causar a eles. Se os ignoramos, como na ausência de amor e cuidado por eles, eles passarão a vida pedindo permissão para respirar.

Provavelmente era isso que o psicanalista inglês Winnicott tinha em mente quando disse que uma mãe tinha que ser "suficientemente boa". Esse "suficientemente" é cada vez mais raro entre pessoas narcisistas (incapazes de amar alguém) ou obcecadas com a perfeição que deve devorar e assolar seus infelizes filhos tão evoluídos.

CAPÍTULO 30

Amor universal

Eu não creio no amor universal, acho a ideia abstrata e desqualificadora do próprio amor. Sobre isso, a filósofa russo-americana Ayn Rand dizia que o amor só poderia ser conquistado pelas virtudes de quem é amado, do contrário, você esvaziaria de valor as virtudes de quem merece ser amado. Parece uma contabilidade meritocrática fria, concordo, mas no âmbito de uma filosofia das virtudes não é. Trata-se da ideia de que se segue, normalmente, ao encantamento de uma pessoa pela outra, o fato de a pessoa que encanta ser uma pessoa virtuosa aos olhos de quem a ama.

Os medievais sabiam que virtudes estão envolvidas no amor, ainda que não propriamente sejam a causa dele. Para os medievais o amor é randômico, por isso mais enlouquecedor ainda. Mas as virtudes são essenciais na continuidade dele.

Concordo com Ayn Rand em parte. Mas a ideia do amor cristão de que há no amor algo fora da relação de mérito me parece sofisticadíssima, apesar de rara. O que não aceito no amor cristão é seu universalismo, no mínimo, por duas razões. A primeira porque, como bem denunciou o relativismo antropológico, o amor universal cristão muitas vezes serviu de desculpa para a simples destruição de tecidos culturais inteiros – ainda que eu não queira entrar na cansativa discussão de que a dinâmica cultural da espécie é de mistura e dominação de algumas culturas sobre as outras mesmo e não de parques temáticos culturais ao sabor de alguns antropólogos que assim conseguem poder institucional e grana. A segunda porque quem normalmente diz amar a todos não ama ninguém em concreto. Como dizia o filósofo britânico Edmund Burke no final do século XVIII, gente que "ama a humanidade detesta seu semelhante".

A falácia da bela ideia de amor universal serviu para todo tipo de violência política desde o final do século XVIII. Confio mais em quem não ama ninguém ou ama umas três pessoas do que em quem diz que ama a humanidade inteira. A inflação do amor, como toda inflação, está sempre a serviço da destruição de algum valor. Neste caso, da destruição do próprio amor.

CAPÍTULO 31

Um mundo que supere o amor

Um mundo sem amor, pelo menos romântico, é uma utopia para muitos, ainda que velada. O próprio discurso pós-moderno, no seu viés "positivo", facilmente acharia na teoria freudiana do narcisismo um argumento sólido para defender uma sociedade em que as pessoas não sofreriam com imaginárias projeções neuróticas do tipo amor romântico.

Superar o amor romântico (ou qualquer tipo de amor que pressuponha idealizações como o amor materno, por exemplo) seria como superar a superstição religiosa numa tradição do filósofo francês Voltaire (século XVIII). A razão fica presa à idealização neurótica fazendo você pensar que o que você sente é real, quando na verdade é uma mania obsessiva. Por isso, tudo que se associa à pessoa amada se torna tão compulsivo.

Uma utopia sem amor seria um mundo em que as pessoas teriam uma afetividade contida e sem expectativas, o que, em tese, é a negação da ideia de afeto. Pessoas "autônomas" que fariam sexo livremente e atividades saudáveis com parceiros legais e leves. Viagens juntos, escolhas alimentares compartilhadas, casas coletivas, nenhum desejo associado a pessoas específicas, e, acima de tudo, nenhum projeto a longo prazo que necessitasse daquele tipo de neurose que mantém pessoas juntas ao longo da vida. Uma pessoa que se curasse do amor romântico deixaria de sofrer com o que a amada pensa dela, e vice-versa. Cresceria focada em sua carreira e lazer. Poderia inclusive desenvolver gostos mais sofisticados, assim como muitos gays sempre o fizeram, justamente porque o amor gay, ao contrário do amor hétero, não deixa rastro institucional.

O argumento que aumentaria a solidão seria respondido por esses utópicos do mundo livre do amor da seguinte forma: quem garante que pessoas que amam não se sentem sós justamente porque estão submetidas à expectativa de amor correspondido constantemente? A dinâmica neurótica aqui é real.

Para além do fato de que esse discurso pode ser levado a cabo justamente porque o egoísmo é o grande valor desde a Revolução Francesa e seu casamento com o capitalismo, podemos supor ainda mais duas outras hipóteses. A primeira é a seguinte: o discurso contra o amor é típico de pessoas que sofreram grandes frustrações amorosas, o que é mais comum do que o sucesso, assim como de sociedades medrosas como a nossa, justamente porque presa a projetos materiais e individuais muito agudos. A segunda, mais profunda, e talvez mais sofisticada, e ligada à primeira na sua dimensão de afeto triste (neste caso específico, o fracasso amoroso), é o ceticismo com relação ao afeto.

O ceticismo do afeto é um tipo específico de ceticismo que suspeita do afeto como forma de autoengano e típico de pessoas que "gostam" de sofrer. O cético aqui seria alguém muito parecido a um monge ou à figura arquetípica do cético grego: alguém que se desapega do mundo a fim de não se iludir com ele. O cristianismo antigo combateu essa ideia de *apatheia*, afirmando que ela levava a uma indiferença para com os outros. Um modo chique de egoísmo. Entretanto, para além da pós-modernidade e seu cinismo de rico, o ceticismo do afeto tem lá seu valor, principalmente para pessoas que já sofreram muito com o amor. Daí dizer que um mundo que teria superado o amor seria uma utopia a ser buscada é uma outra coisa. O ceticismo é sempre para poucos e sempre muito poucos. Chega-se ao ceticismo unicamente depois de muito sofrimento. O ceticismo é uma forma triste de amadurecimento. E amadurecimento é um conceito desconhecido para utópicos pós-modernos.

CAPÍTULO 32

Amor místico

"Místico" é uma palavra que vem do grego e quer dizer "escondido". Apenas poucos têm acesso. Por isso, a literatura mística em todas as religiões pressupõe a referência a uma experiência para além da capacidade de representação pela linguagem. O amor místico é um tema recorrente nesse tipo de literatura, não apenas como amor por Deus ou de Deus pelo místico, mas também o amor pelo mundo, pelas pessoas e pelas coisas (como compaixão, misericórdia e desejo). Todas essas formas de amor são narradas como fruto da "experiência de conhecimento direto da divindade", a experiência mística tal como é denominada pela literatura especializada.

Mas eu quero apontar aqui um tipo específico de amor místico muito peculiar, e muito comum transversalmente nas religiões mundiais: o amor místico como aniquilamento do eu (ou da alma, como se diria na Idade Média cristã).

A autora francesa queimada em Paris pela Inquisição no século XIV, Marguerite Porete, escreveu um livro, que lhe custou a condenação por heresia, chamado *O espelho das almas simples e aniquiladas* (na sua versão francesa moderna). A palavra aqui traduzida por aniquilada ou nadificada é *anéantie*. *Anéantissement* é aniquilamento. Apesar das distintas formas como esse tema aparece nas narrativas místicas nas diversas religiões (e não vou entrar aqui nessa discussão técnica se podemos ou não dizer que existe um denominador comum entre as religiões, apesar de conhecer um tanto essa questão de modo *scholar*), o fato é que o amor místico, fruto do conhecimento direto de Deus, parece produzir uma dissolução prazerosa do eu ou da alma ou da subjetividade, como queiram chamar. Essa dissolução (o aniquilamento em si) se manifesta na superação de desejos, pensamentos, inquietações, identidades, enfim, de todas as "faculdades da alma", em linguagem medieval, que tornam você o que você é, e, com isso, produz a sensação de liberdade diante dessas mesmas inquietações, expectativas, anseios, medos ou projetos. Daí Porete dizer que a alma se torna liberta e se descobre parte do próprio Deus e, por isso mesmo, plena, sem qualquer sentimento de falta ou insuficiência. Mas quem é esse Deus do qual ela fala? O Deus amor.

Interessante observar que a expressão usada por Marguerite Porete em seu livro para se referir a esse amor ou Deus amor é *fine amors*, a mesma expressão usada pelos autores medievais para aquilo que, posteriormente, se convencionou chamar de amor romântico ou amor cortês. A semelhança do uso nunca foi suficientemente explicada. O "gozo místico", como gostam de falar os psicanalistas lacanianos, seguidores do psicanalista Jacques Lacan (século XX), é o gozo de quem se liberta da neurose, dos fantasmas que sugam sua vida infinitamente, enfim, de quem se liberta do próprio eu. Assim sendo, o aniquilamento do eu no amor místico é, como quase sempre é em se tratando das dimensões "saudáveis" do amor ou da sua face psicológica criativa, uma experiência libertadora. Como dizia tantas vezes Santo Agostinho nos séculos IV e V, "só se é livre quando se ama". A maior força do amor é exatamente esta: nos libertar de nossos fantasmas, mesmo que à custa de alguma forma de morte ou aniquilamento do eu que conhecíamos como nosso.

"O AMOR NÃO É PARA INICIANTES."

CAPÍTULO 33

Felicidade e amor como segredo e graça, não como um imperativo

Talvez um dos maiores engodos no mundo seja a ideia de felicidade como direito ou de amor como um dado da vida. Talvez o pior do amor seja sua antinaturalidade, dada à vida ordenada como deve ser.

Amor é graça, jamais imperativo. Felicidade acontece como milagre, mesmo que você tenha que lutar por esse milagre.

A indústria do amor, fruto do amor romântico sendo tomado pela lógica instrumental de mercado, inviabiliza a própria hipótese romântica que é a da incomensurabilidade da alma e seus afetos essenciais, substância pura da personalidade. Não há uma economia da alma. Não há uma economia do amor enquanto tal. Há apenas sua escassez. Se a economia é a ciência da escassez, não existe, como se imaginaria, um modo de evitar a escassez do amor, como se evita a escassez de água ou ar. Podemos lamentar essa escassez, mas não preenchê-la com uma tabela de Excel para produção de amor. O que caracteriza tudo que é graça é seu caráter contingencial, sorte ou azar. Os medievais diziam que apenas os infelizes são acometidos pelo amor porque ele é contingência e não há uma ciência sobre a contingência. Para lidar com ela, acumula-se alguma sabedoria, e onde há ciência, normalmente, falta sabedoria e sobra certeza.

O amor entra pela fresta da porta. Nunca é convidado, mas toma o ambiente quando é notado. Encanta pela sua força vital. Pelo desejo de mais vida que traz consigo. Por isso as pessoas quando amam sentem que estão à beira de encontrar a melhor versão delas mesmas. E isso pode ser fator bastante destrutivo de muitas outras pessoas, vítimas inocentes desse amor não convidado. Ver destruição e esperança lado a lado é algo essencialmente contraditório. Só um milagre faz da destruição uma forma de esperança. Ou alguma forma de delírio, fantasma que acompanha toda crença no milagre.

CAPÍTULO 34

"O amor só se conhece pelos seus frutos"

Essa é uma afirmação famosa do filósofo dinamarquês Sören Kierkegaard, do século XIX. O amor é invisível, só o vemos pelos seus frutos, assim como uma árvore só se dá a conhecer plenamente naquilo que ela tem como *telos* (finalidade) na vida, dar frutos. O que seria uma laranjeira sem a laranja?

Com essa afirmação, Kierkegaard quer dizer que o amor é uma "arte" prática, um conhecimento do qual não se faz teoria que chegue aos pés de sua realização prática. Frutos existem doces e amargos. E, como toda prática, quanto mais se pratica, melhor se pratica. Reencontramos aqui, noutro cenário, a definição de ética de Aristóteles:

uma ciência prática. Uma virtude, um afeto, só se dá a conhecer para quem "os" sofre. Por quem é levado por eles ao limite de sua natureza de paixão e luta contra si mesmo.

Uma das melhores definições de amor que conheço em filosofia, e que me parece dialogar maravilhosamente bem com essa busca do conhecimento prático como única forma de viver de fato o amor, é a de outro filósofo, o alemão do século XX, Theodor Adorno: "O amor é aquele que permite a você demonstrar para a pessoa que você ama suas maiores fraquezas sem medo de que ela as use contra você". Como todo pessimista sofisticado, Adorno tinha no amor sua forma mínima de moral utópica. Ter como fruto a capacidade de jamais usar as fraquezas de uma pessoa contra ela é, talvez, de todas as capacidades raras em nosso mundo, a mais rara. O fruto do amor é, nesse sentido, dar a vida a quem a pode perder a qualquer momento, justamente devido aos riscos da revelação das próprias fraquezas. Uma forma suprema de misericórdia, fruto de nosso encantamento justamente por aquela pessoa que sofre diante de nossos olhos. Por isso, talvez, a revelação do amor, muitas vezes, nos leve às lágrimas, como nas narrativas de amor místico.

CAPÍTULO 35

Quando o amor morre

A morte do amor é uma das mortes mais sofridas da vida. Casamentos que acabam são como uma morte, um fracasso; quanto mais anos de investimento, maior a morte. Lugares partilhados, hotéis, restaurantes, projetos, realizações. Mas não só o casamento mata o amor.

O medo mata o amor. A insegurança. A certeza de ele ser uma doença a ser vencida pela razoabilidade das necessidades cotidianas. As evidências de sua destrutibilidade. O amor leva consigo o sonho de que você poderia ter uma versão mais livre de si mesmo. Menos acovardada pelas evidências da vida razoável. O amor pode levar você a escolher a "pessoa errada" para partilhar um projeto de vida a dois. Eis uma das maiores tragédias do amor: ele não é garantia de uma vida feliz, tampouco amorosa.

O conflito entre amor e razão é um clássico, por isso as fraquezas do amor diante de todas as causas para evitá-lo. Uma vida segura é uma vida sem paixões, apesar das mentiras que contam sobre isso. A contar pelo número de infelizes que caminham sobre a Terra, o amor sempre foi um recurso escasso e arriscado. Quem ama sempre sofre. A começar pelo perder a si mesmo, pelo descontrole dos procedimentos de sobrevivência, pela desistência de combater os fracassos.

A morte do amor é uma das piores mortes para quem amou e perdeu esse amor. E quem vence o amor é sempre alguma forma de medo. E o medo é forte porque ele sempre tem razão. Um afeto triste que provavelmente foi selecionado pela evolução natural porque garante, afinal de contas, a continuidade das coisas como sempre foram. Há um conforto no medo maior do que em qualquer outro afeto. Um vício. Ao servi-lo você pensa ganhar garantias contra o desconhecido, e quanto mais o serve, mais medo você tem de não servi-lo. Pior do que crack.

A morte do amor deixa você mais cético. E todo cético é um triste, mesmo que inteligente nessa tristeza. Resta-lhe o gozo do hábito. E o hábito é um dos amigos mais fiéis na vida.

CAPÍTULO 36

O inferno moral

O que é um inferno moral? Na série para TV polonesa *Decálogo*, de K. Kieslowski, num dos episódios, uma professora de filosofia e ética chamava seu curso de "inferno moral". O conteúdo de seu curso, segundo o que o episódio nos conta, eram dilemas morais insuportáveis e insolúveis. A personagem da professora tinha, ela mesma, uma história que a colocava constantemente numa agonia moral insuportável: durante a Segunda Guerra, recusou abrigo para uma menina judia porque teve medo dos nazistas. Não precisamos acompanhar mais do desenvolvimento do episódio. Nem importa aqui especificamente a causa do inferno moral da personagem.

Inferno moral é um conceito. Pressupõe um drama moral insolúvel. Seu afeto é a agonia moral. A impossibilidade de se sair do dilema, como um inferno sem saída. No caso do amor, os dilemas se multiplicam porque envolvem pessoas reais que podem ser levadas à alegria ou à miséria por causa dele.

Para o filósofo britânico Isaiah Berlin, do século XX, o verdadeiro dilema moral paradigmático é o conflito entre o bem e o bem, não a escolha entre o bem e o mal. Essa escolha é, pelo menos, em princípio, fácil. A chamada escolha racional do utilitarismo, entre bem e mal, que pressupõe a racionalidade da moral uma vez que seria possível identificar a diferença de valor entre bem e mal, para Berlin, é superada pela escolha radical: escolher um bem em detrimento de outro bem, aniquilando-o. Essa seria a essência mesma do maior inferno moral. Que Deus tenha piedade daqueles que um dia foram lançados nesse tipo de escolha infame.

Desde a Idade Média supõe-se haver um inferno moral na experiência romântica, como vimos em ensaios anteriores. Mas o inferno moral no caso do amor romântico não seria "apenas" fruto dessa escolha entre dois bens diferentes que se excluem mutuamente, já que duas pessoas podem se apaixonar sem conflitos de virtudes *a priori*. A suspeita medieval é que a plenitude da experiência amorosa se dá quando ela instaura esse tipo de conflito entre o bem e o bem, levando suas vítimas a apresentar todos os sintomas do amor: êxtase, melancolia, esperança, desespero, autoconfiança, vergonha, autorrealização e, finalmente, fracasso.

O centro do inferno moral do amor, para além desse caso mais "pleno", estaria no fato de que o amor destrói a capacidade da sua vítima de pensar com clareza. Joga sobre ela toda uma gama de projeções afetivas "primitivas" de insegurança ou de segurança não justificada. Deixa o mundo à sua volta sujeito aos sentimentos que o amor determina, como em toda forma de mania ou obsessão. Enfraquece a alma e o desejo por qualquer outra coisa que não o próprio amor. A experiência de significado fica refém do amor. E, sem a possibilidade de partilhar significado com as coisas e as pessoas à sua volta, a vida fica irrespirável.

Mas, por outro lado, não há força maior para produzir confiança, generosidade, leveza, amor pelas coisas do dia a dia do que um amor realizado em vida. O peso da concretude se torna leve devido à graça com a qual o amor reveste o cotidiano, dando a ele aquele tipo de utopia de uma vida plena com que todo mundo sonha. Aquele pequeno pedaço de paz, que todos procuram, mas muito poucos encontram. Por isso, contra o que a maioria imagina, quanto maior o nível de maturidade de uma pessoa, maior o efeito dessa paixão sobre ela, porque só se é capaz de reconhecer esse pequeno pedaço de paz quando já se atravessou muitas guerras. O amor não é para iniciantes.

Leia também o outro título do autor
publicado pela Editora Planeta

O objetivo deste livro é ajudar o leitor a pensar com a sua própria cabeça. Para tal, o filósofo e escritor Luiz Felipe Pondé, autor de vários best-sellers, se apoia na história da filosofia para apresentar argumentos para quem quer discutir todo e qualquer tipo de assunto com embasamento. Afinal, os grandes filósofos estudaram, pensaram e escreveram sobre os temas essenciais com os quais ainda lidamos no mundo contemporâneo. O livro está dividido em três partes: "Uma filosofia em primeira pessoa", onde o autor conta como ele entende a filosofia; "Grandes tópicos da filosofia ao longo do tempo", que traz um repertório básico dos temas que todo mundo precisa conhecer mais a fundo; e "Por que acho o mundo contemporâneo ridículo?", uma análise ferina da sociedade atual.

**Acreditamos
nos livros**

Este livro foi composto em Adobe Garamond Pro e Bliss Pro e impresso pela Geográfica para a Editora Planeta do Brasil em abril de 2022.